D1176996

Je rassure mon bébé

« C'est la vie aussi »
Collection dirigée par Bernadette Costa-Prades

« Les enfants sont comme des marins : où que se portent leurs yeux, partout c'est l'immense. »

Christian Bobin,
La Part manquante

© Éditions Albin Michel, S.A., 2004
22, rue Huyghens, 75014 Paris

www.albin-michel.fr

ISBN : 2-226-14289-4

Emmanuelle Rigon
Marie Auffret-Pericone

Je rassure mon bébé

L'apaiser et l'encourager
de 0 à 2 ans

Albin Michel

Introduction

Comment rassurer mon bébé? Paradoxalement, les parents qui se posent cette question sont bien souvent les plus protecteurs. Ils ont le sentiment d'en faire déjà beaucoup pour sécuriser leur tout-petit, mais se sentent désarmés devant les pleurs, manifestations d'angoisse et autres peurs bien mystérieuses. Rapidement, un sentiment de doute les envahit: est-ce que je m'y prends bien? Est-ce que je ne risque pas de trop le couver? de lui donner de mauvaises habitudes? Ne suis-je pas en train d'en faire un petit pacha? De lui communiquer mes angoisses? D'autant que, dans ce domaine, les modes évoluent: ce qui était encouragé ou condamné à l'époque de nos parents ne l'est plus forcément de nos jours. Aujourd'hui, encore, les informations qui circulent sur la vie intérieure des bébés sont contradictoires et les idées reçues encore nombreuses!

▦ Une subtile alchimie entre trop et pas assez

Cependant, à l'heure où l'on parle très tôt de rendre l'enfant «autonome», tous les spécialistes s'accordent sur un point : rassurer et encourager son bébé est fondamental pour lui donner envie d'aller de l'avant. Et force est d'admettre que les meilleurs parents du monde ne peuvent pas protéger leur enfant de tout... Votre rôle est donc de lui donner la capacité de trouver en lui des ressources pour qu'il établisse les bases de sa sécurité intérieure, un sentiment capital pour son développement physique et psychique.

Une bonne compréhension des mécanismes en jeu, durant cette période réputée «sensible», beaucoup d'écoute, un peu de patience et de nombreux câlins... Voilà qui devrait permettre à votre bébé d'affronter les situations difficiles, inhérentes à sa vie d'enfant et, à vous, parents, d'assister avec sérénité et émerveillement au développement harmonieux de ce tout-petit confiant en la vie.

Chapitre 1

Pourquoi est-il si important de sécuriser votre bébé?

**« Elle veut tout le temps être dans mes bras»,
« Il a peur des autres enfants», « Le soir, elle est
inconsolable»... Autant de façons, pour votre bébé,
de faire entendre qu'il a besoin d'être rassuré.**

Dès ses premiers instants d'existence, puis tout au long de ses premiers mois, votre bébé manifeste son besoin d'être consolé, apaisé, encouragé... En un mot, rassuré. Bien sûr, pour s'exprimer, il n'a guère le choix. Il va donc traduire ses exigences par des pleurs souvent déconcertants: il a pris son biberon, a fait son rot, est propre, n'a pas de fièvre... Pourtant il crie, s'agite, bref, il «fait sa crise». Que se passe-t-il?

■ Petit retour en arrière

Durant ses dernières semaines dans votre ventre, tous les sens de votre bébé sont déjà opérationnels, certains depuis de longs mois. Son univers sonore, composé de vibrations et de sons feutrés, vit au rythme du cœur de sa maman. Il entrevoit dans une semi-pénombre ses propres membres et son cordon ombilical. Il baigne tranquillement dans une douce chaleur aquatique. Que peut bien ressentir ce bébé fraîchement débarqué du plus douillet des univers protecteurs et confronté à un nouveau mode de respiration, dans un monde de bruits et de lumières ? Bien sûr, vous prenez avec lui d'infinies précautions et vous l'entourez de tout votre amour. Mais découvrir une multitude de nouvelles sensations, expérimenter et prendre conscience de son propre corps, séparé du vôtre, restent des étapes que votre tout-petit va devoir affronter. Où va-t-il puiser ses forces ? Auprès de vous ! C'est en effet votre présence attentive, votre odeur, votre chaleur, vos mots et vos gestes tendres et encourageants qui vont l'aider à traverser ces premiers mois. Et à faire le plein de sécurité !

Un bébé rassuré est un bébé détendu

Pourquoi est-ce si important de sécuriser votre enfant ?
D'abord, n'ayons pas peur des évidences : un bébé rassuré est un bébé détendu, tranquille, souriant, et qui fait
ses nuits (même si tous les réveils nocturnes ne sont pas
causés par l'angoisse). En un mot, le bébé dont rêvent
tous les parents... Ce climat serein est bien agréable à
vivre durant ces premiers mois qui, malgré tout, ne sont
jamais de tout repos.

Cependant, en apaisant votre bébé, vous ne garantissez
pas seulement de paisibles nuits à toute la famille. Tout
porte à croire, en effet, que la façon dont vous allez le rassurer, aujourd'hui, conditionne son développement futur
et la manière dont, plus tard, il appréhendera le monde.

Un vaccin contre les angoisses

Prenons, par exemple, le cas de Jules, cinq mois, et de
sa mère, qui consultent la psychologue de la crèche.
« Il a tout le temps faim », confie sa maman qui s'inquiète, comme le pédiatre, de voir la courbe de poids de
son fils prendre son envol bien au-delà de la maximale.
Jules pleure ? Aussitôt sa maman accourt, biberon à la

11

main. Et Jules l'accepte avec plaisir. Pourquoi ? Parce qu'à son âge la succion le réconforte et le détend. Jules semble donc donner raison à sa maman, qui, de bonne foi, va continuer ce «nourrissage» incessant. Le seul remède aux angoisses que connaît Jules durant ses premiers mois d'existence passe donc par l'alimentation. Pourtant, les câlins, ça nourrit aussi ! Pris dans les bras et bercé doucement, Jules se serait sans doute apaisé de la même façon. Ce malentendu, s'il s'était prolongé trop longtemps, aurait pu avoir des conséquences sur son développement psychique et ouvrir la voie à des troubles de type alimentaire. La maman de Jules, très vigilante, a heureusement redressé la barre, et Jules est aujourd'hui un petit garçon plein de vie et tout en muscles !

C'est donc dans ces moments charnières, dès les premiers mois, que se forme la cohésion interne de la personnalité. Les recherches menées en ce domaine montrent qu'un bébé cajolé et sécurisé a de fortes chances de devenir un enfant, puis un adulte, sur qui l'angoisse a moins de prise. Vous pouvez en être persuadés: apaiser votre bébé inquiet ne l'encouragera pas à la faiblesse !

Lui donner des repères

Dès les années trente, la psychanalyste autrichienne Mélanie Klein est la première à avoir envisagé l'organisation psychique du nouveau-né à travers le décryptage de sa vie intérieure et de ses fantasmes. Selon elle, l'enfant, dès ses premiers mois, est submergé par des angoisses entraînant un sentiment de persécution ou de dépression. Cette théorie est reprise aujourd'hui par nombre de spécialistes du développement infantile, pour lesquels ne pas prendre en compte l'angoisse du bébé pourrait le conduire à développer, à l'âge adulte, de graves névroses. Vision dramatique, simpliste ou réductrice? Pas si sûr, car les travaux menés par le Dr Emmi Pickler, dans les années cinquante, dans le cadre de la pouponnière de Lóczy, à Budapest, ont souligné l'importance de la mise en place du sentiment de sécurité intérieure chez les tout-petits.

Auparavant, dans ces structures très rigides, les équipes responsables des enfants travaillaient par roulement. Les bébés n'étaient donc jamais lavés, nourris, couchés ou levés par la même personne qui aurait pu jouer un rôle plus «maternant». Emmi Pickler a mis en évidence que cet univers de grande instabilité accentuait l'angoisse de ces petits déjà très éprouvés. Parmi les principes directeurs de son approche, elle a ainsi démontré combien il était fondamental, pour l'équilibre de l'enfant, que se mette en place une relation régulière et privilégiée avec un adulte de référence. C'est également à Lóczy qu'a été soulignée l'importance d'encourager l'activité autonome du tout-petit, pour l'aider à prendre conscience de lui-même et de son environnement... Sans oublier son bon état de santé physique, ce qui était, hélas, loin d'être une évidence.

Grâce à une nouvelle organisation précise et repérable par le tout-petit, à des soins de qualité où le bébé est réellement considéré comme une personne, les enfants élevés dans ces conditions peuvent donc se développer harmonieusement dans une situation réputée « à risque » : celle du bébé exclusivement élevé en collectivité. À cet égard, il n'est pas étonnant que l'« approche Lóczy », mise en place depuis plus de cinquante ans, ait porté ses fruits au-delà de la frontière hongroise et dans des situations moins extrêmes.

▨ L'expérience des crèches

C'est le cas, en France, où, depuis une quinzaine d'années, les responsables des crèches françaises ont établi un système de «référents». Le principe? Chaque bébé est confié à une personne bien identifiée (celle-ci a en charge un nombre limité d'enfants), à qui il est présenté lors de son premier contact avec la crèche. Jour après jour, semaine après semaine, cet adulte de référence, éducatrice ou auxiliaire de puériculture, va assurer les soins de base et encourager votre bébé dans ses progrès. Cette personne est également l'interlocuteur privilégié des parents à qui elle racontera les petits et grands événements de la journée vécus par l'enfant à la crèche.

Bien sûr, la question des repères se pose avec moins d'acuité si votre tout-petit est gardé à la maison ou chez une assistante maternelle. Mais, dans tous les cas, à travers les petits rites quotidiens de la crèche ou de la maison (changes, repas, sieste...), il va également comprendre que les événements de sa journée s'enchaînent de manière régulière. Au fil des jours, ces balises vont le rassurer et lui permettre d'établir sa sécurité intérieure. En lui apportant ces repères, vous structurez votre bébé et vous lui donnez envie de progresser et d'avancer dans la vie.

▨ Un passeport pour les acquisitions

Marcher, parler, réfléchir... Bientôt, votre bébé saura tout faire ! Or, soulignent les spécialistes du développement de l'enfant, la sécurité intérieure est capitale pour installer ces «acquisitions de base». L'exemple de la marche est particulièrement frappant chez les bébés d'origine africaine. On a remarqué, dans les crèches, que ces enfants, habitués à être portés au corps à corps avec leur mère, se comportent de bonne heure comme de véritables petits acrobates. Ils marchent, escaladent et possèdent une sécurité corporelle beaucoup plus précoce que leurs petits copains européens. Pourquoi ? Sans doute parce que ces bébés blottis contre leur maman ont découvert le monde à partir du plus rassurant des postes d'observation ! Confiants dans leur capacité à explorer, ces enfants n'hésitent pas, lorsqu'ils s'en sentent capables, à se lancer sur leurs deux jambes.

Certes, beaucoup d'éléments sont inscrits dans les gènes. Mais comment un enfant pourrait-il avoir envie de se lancer à la découverte de son univers, avec sérénité, s'il sent que ceux qu'il aime le plus ne croient pas en lui ? Bien sûr, ses tentatives seront émaillées d'échecs ! Mais quand un bébé sent qu'on est prêt à le soutenir, lorsqu'il échoue, pour lui permettre de repartir de plus belle, il finit par y arriver tout naturellement, avec un sourire jusqu'aux oreilles!

▧ Un bon «capital santé»

L'enchaînement des étapes est identique pour l'acquisition du langage. Si, dès ses premiers babils, vous rassurez votre bébé sur sa capacité à se faire comprendre et à communiquer, il aura envie d'expérimenter les multiples combinaisons des mots sans crainte et avec plaisir.

Croire en ses possibilités, l'encourager lorsqu'il s'apprête à passer un cap ou lorsqu'il esquisse la volonté d'une action, dès lors que celle-ci ne le met pas en danger, contribue largement à ce que votre bébé progresse en s'ouvrant peu à peu sur le monde.

En l'absence de ce sentiment de sécurité intérieure, l'enfant peut connaître des difficultés, voire un retard, au niveau de ses premiers apprentissages. En revanche, un bébé rassuré sur ses capacités à franchir, une à une, les étapes de la vie a toutes les chances de devenir un enfant, puis un adulte, doté d'un «capital santé» très satisfaisant, tant sur le plan physique que psychique. C'est dire l'importance de l'enjeu!

L'essentiel

En rassurant votre bébé et en lui apportant des repères, vous lui donnez l'envie de progresser, d'avancer dans la vie et de découvrir le monde.

Encouragé sur ses capacités à franchir, une à une, les étapes de la vie, il a toutes les chances de devenir un enfant, puis un adulte, sur lequel l'angoisse aura moins de prise.

Un bébé qui se sent en sécurité est détendu, tranquille, souriant... Ce que chaque parent peut souhaiter pour son enfant !

Chapitre 2
Fausses pistes
et bonnes idées

**Vous le portez, vous le bercez, vous avez « craqué »
pour une tétine… Puis, le doute s'installe.
Entre les commentaires aigres-doux de votre mère
et les conseils farfelus de vos copines, vous vous
demandez si vos choix sont les bons…**

▒ S'il pleure, dois-je le prendre systématiquement dans mes bras ?

« Tu le prends encore dans tes bras ? Tu vas vraiment lui donner de mauvaises habitudes… » Cette réflexion, vous l'avez déjà entendue ? Vous n'êtes pas les seuls ! Il n'empêche, la question vous taraude… Seriez-vous en train d'en faire un enfant pourri gâté ?

⇨ Avant six mois

Soyons clairs. Avant six mois, si vous accourez pour prendre votre bébé dans vos bras, dès qu'il pleure, nul ne peut vous accuser d'encourager sa faiblesse. À cet âge, la part d'éléments physiques qui peuvent le perturber (coliques, soif, faim, sensations de ses limites corporelles...) est très importante. Le porter est donc le meilleur moyen de le rassurer. La preuve, ses pleurs s'atténuent, voire s'arrêtent vite, lorsqu'il est dans vos bras. Deux bémols cependant: lorsque vous venez de le coucher, laissez-le protester une petite dizaine de minutes avant de céder, puis de le recoucher. Ces larmes de fatigue sont souvent nécessaires à son endormissement. De même, les petits pleurs nocturnes, qui peuvent se produire dans son sommeil, ne justifient pas que vous accouriez!

Avant six mois, donc, vous ne lui donnerez pas de mauvaises habitudes. Vous l'aiderez à poser les bases de sa sécurité intérieure, pas à devenir une graine de tyran.

⇨ Entre six et douze mois

À cet âge, il commence à exprimer quelques manifestations de potentat et à tester sa toute-puissance. C'est normal. S'il hurle parce qu'il a faim, vous pouvez, sans crainte de le traumatiser, le laisser protester (même vigoureusement!) tout en lui parlant pour lui montrer que vous l'avez entendu et compris : «Je prépare ton biberon, ça va arriver!» Dans ce cas, ses pleurs sont une simple manifestation d'impatience et s'arrêteront dès que sa faim sera assouvie.

En revanche, s'il est tombé, s'il s'est fait mal, s'il est inquiet, ou s'il affronte des petites étapes difficiles (entrée chez une nounou, vaccin chez le médecin...), pas d'hésitation! C'est dans vos bras qu'il trouvera la force nécessaire pour reprendre le dessus.

⇨ **Après un an**

Passé ses douze premiers mois, ses émotions commencent à être plus faciles à distinguer. Il a un gros chagrin? Il a une angoisse, la nuit? C'est important de le consoler et vos bras sont le meilleur moyen d'y parvenir.

Il pique une colère? Tout dépend de lui... et de vous. Être porté peut le calmer, mais il peut aussi ne pas en avoir envie et se débattre pour vous montrer son désaccord! Dans ce cas, n'insistez pas, votre enfant a besoin de pleurer «devant» vous. Peut-être ne veut-il pas d'un câlin, mais plutôt que vous jouiez avec lui?

À cet âge, les mots vont devenir de plus en plus importants. Vous pouvez l'apaiser en lui parlant, tout en gardant un contact physique (en lui caressant la joue, le dos...), sans forcément le prendre dans vos bras.

Vous pouvez également l'inciter à se calmer tout seul, en lui faisait comprendre qu'il a le droit de ne pas être d'accord, mais que vous n'êtes pas obligée de supporter ses cris. S'il y parvient au bout de quelques minutes (en général pas avant sa première année), il aura franchi une étape très importante de son développement. Enfin, vous pouvez aussi porter votre enfant, tout simplement parce que cela vous fait plaisir à tous les deux. Il saura ainsi qu'il n'a pas besoin d'être en colère ou inquiet pour avoir ce doux privilège !

Faut-il le bercer ?

Dans l'imagerie collective, le bercement est très lié à la maternité. Même les petites filles bercent leur poupée «parce qu'elle ne peut pas dormir» ou «pour la consoler». Pourquoi les bébés aiment-ils qu'on les berce ? Les mouvements rythmés semblent avoir un effet bénéfique parce qu'ils recréent en partie les sensations que l'enfant a connues lorsqu'il était douillettement à l'abri, dans le ventre de sa maman.

⇨ Chacun sa méthode

Existe-t-il une technique ? Des études ont mis en évidence que le bercement le plus « efficace » comprend entre soixante et soixante-dix oscillations par minute (proche des battements du cœur au repos), de faible amplitude. Le bébé semble également préférer être bercé d'avant en arrière plutôt que de gauche à droite. Enfin, il apparaîtrait que la grande majorité des femmes (mais également des mamans chimpanzés et gorilles, souligne le zoologue Desmond Morris) bercent leur bébé du côté gauche. Pourquoi ? La raison la plus probable est que la femme tient inconsciemment son enfant le plus près possible des battements cardiaques, donc du bruit que le bébé entendait lorsqu'il était dans son ventre.

Mais tout cela est bien théorique ! Bientôt vous découvrirez les gestes qui conviennent le mieux à votre enfant. L'une fera les cent pas en le berçant doucement, l'autre le tiendra blotti contre elle et lui murmurera des mots doux à l'oreille, une autre encore fredonnera une berceuse… Dans tous les cas, vos gestes seront effectués sans heurts, *et surtout pas* en secouant le bébé de manière énergique, ce qui pourrait être très dangereux.

Rien ne vous empêche de piocher des idées sur d'autres continents… Les mères afghanes, par exemple, ne bercent pas toujours leur bébé dans leurs bras.

Assises sur le sol, elles l'allongent sur leurs jambes, sa tête reposant sur leurs pieds, puis balancent doucement les jambes de gauche à droite. Quant aux femmes pygmées, elles tiennent leur nourrisson au creux des mains et le bercent par de petits mouvements de haut en bas. Des formules à reprendre pour varier les plaisirs... Et éviter les crampes !

⇨ Bercer, c'est bien mais...

Reste un principe de base : pour aider votre enfant à bien dormir, il doit apprendre à trouver le sommeil, seul, dans son lit. Pas question, donc, de provoquer d'accoutumance à un rite qui peut parfois devenir envahissant *(voir le chapitre 7)*.

En revanche, si au cours de la journée vous sentez votre bébé anxieux ou énervé, n'hésitez pas à le bercer doucement dans vos bras. Ce doux balancement peut s'avérer inopérant lorsque vous êtes tendue, car votre tout-petit, extrêmement réceptif au langage du corps, risque de sentir votre nervosité et être plus difficile à calmer.

Vers l'âge de neuf mois, certains bébés se mettent à se bercer tout seuls. Ils s'assoient, se balancent d'avant en arrière, ce qui inquiète souvent les parents. Ce comportement est pourtant banal, s'il est bref et peu fréquent. Dans le cas contraire, il mérite d'être pris au sérieux, surtout s'il s'accompagne d'autres troubles du comportement : retrait marqué par rapport aux autres, pleurs quasi continuels, notamment.

Pourquoi a-t-il besoin d'un doudou ?

« N'oubliez pas son doudou ! » Aujourd'hui, il est bien rare qu'à la crèche, ou chez la nounou, on ne vous réclame pas cet objet magique qui adoucit bien des séparations. Très utile dans les moments un peu difficiles, le doudou est l'outil de sécurisation par excellence. Dans sa première année, votre enfant va s'attacher à cet objet particulier qu'il suçote et serre contre lui. À quoi sert-il ? À évoquer sa maman absente. C'est dire son importance, pour votre bébé.

C'est le célèbre pédiatre et psychanalyste britannique D.W. Winnicott qui a parlé du rôle prépondérant de ce fameux « objet transitionnel » dans la vie du tout-petit. Mais n'est pas doudou qui veut ! Qu'il s'agisse d'une peluche, d'un mouchoir, ou d'un foulard, que ce spécialiste décrit comme une « partie presque inséparable de l'enfant », il se distingue d'un simple jouet. Un bébé, même fasciné par un petit camion, le choisira rarement comme doudou... Pas assez doux, sûrement ! D'ailleurs, ce dernier est rarement élu pour ses qualités esthétiques. Au fil des années, son aspect ne va pas aller en s'améliorant. Il faut dire qu'il a la vie dure, ce doudou! Frotté sur le bout du nez, tétouillé, lancé en l'air, écartelé, mâchouillé... Tout est bon pour apaiser les tensions et sécher les larmes.

⇨ L'odeur maternelle

Le doudou peut être utile dès les premiers instants de la vie d'un bébé, notamment s'il doit être séparé de sa mère. Cela peut être le cas s'il est né prématuré ou si la maman doit être hospitalisée sans lui. Le tout-petit a en effet besoin de sa mère, pour faire le lien entre sa vie d'avant et après la naissance. Or l'odorat et la mémoire olfactive sont particulièrement développés chez les nourrissons. En cherchant le sein maternel, quelques instants après la naissance, ils visent d'ailleurs autant à satisfaire leur faim qu'à respirer son parfum. En l'absence de la maman, un linge (foulard, chemise de nuit...) imprégné de son odeur permettra de prolonger le lien et de rassurer le bébé.

Plus tard, lorsque sa maman reprendra son travail ou s'absentera, la fragrance familière de son doudou le ramènera en imagination dans les bras maternels. Cet objet va donc faire le lien entre sa mère, sa maison et

les lieux moins connus (chez sa nounou, à la crèche…).
Il lui permettra d'affronter des moments de solitude et
de passer plus sereinement de la présence de sa mère
à son absence.

⇨ Un objet à investir

Il reste que certains bébés se passent très bien de doudou. Le plus souvent, ces enfants ont pris l'habitude de
sucer leur pouce ou une tétine, de jouer avec leur poing,
de respirer l'odeur d'un doigt ou de leur bras, de faire un
petit jeu avec leur pied… Tous ces rites, qui passent parfois inaperçus aux yeux de leur entourage, peuvent être
très rassurants pour eux. Si votre bébé n'a pas de difficulté
à se séparer de vous et s'endort facilement le soir, inutile
de lui imposer un objet de sécurisation. S'il en ressent
plus tard le besoin, il le choisira tout seul. En attendant,
vous éviterez les drames, en cas de perte ou d'oubli !
Cependant, s'il ne peut s'endormir ailleurs que dans
vos bras, ou reste inconsolable à chaque fois que vous
le confiez à une autre personne, pourquoi ne pas l'aider
à le choisir ? L'objet sera, dans les premières semaines,
empli de l'attention que vous lui accordez en le glissant
dans la main de votre bébé avant que vous ne vous
sépariez. Lorsque votre enfant, seul ou avec votre aide,
aura élu l'objet qui semble remplir cette fonction, il sera

important de l'emporter dans les moments qui sortent de la routine ou qui peuvent se révéler inquiétants (chez le médecin, à la crèche, en voiture, pour dormir...). Plus le doudou circulera entre les moments d'absence et de présence de la mère, plus il remplira sa fonction d'objet transitionnel et sera rassurant pour votre bébé. Un conseil : lorsqu'il aura choisi son doudou, procurez-vous-en un double afin d'alterner et de pouvoir le laver quand il aura atteint un stade critique. Confectionnez-lui une petite étiquette avec le nom de votre enfant et son numéro de téléphone. Car les kilomètres parcourus par des parents exténués, pour rechercher un doudou égaré, relient plusieurs fois la Terre à la Lune ! L'investissement est donc rentable, d'autant qu'il y restera très attaché pendant plusieurs années, souvent, même, au-delà de l'âge de raison. Veillez à ne pas être plus attaché à son doudou qu'il ne l'est lui-même : votre enfant a aussi en lui des ressources que vous ignorez ! D'ailleurs, parfois, quand un enfant perd son doudou, c'est une manière de montrer qu'il est en train de grandir. Pourquoi ne pas saisir cette occasion pour qu'il apprenne à s'en passer, s'il se sent prêt ?

▒ Pouce et tétine : pour ou contre ?

« Tu lui donnes une tétine ? Tu as tort, il n'arrivera jamais à s'en débarrasser ! », « Il faut l'empêcher de sucer son pouce, sinon elle aura des dents de lapin ! »... La tétine (ou totote, ou sucette...) et le pouce ont tous les deux leurs farouches partisans et détracteurs, tant du côté des bébés que des spécialistes du développement infantile.

⇨ Pourquoi sont-ils utiles ?

Le besoin instinctif de succion existe bien avant la naissance. Les clichés d'échographie sont nombreux à témoigner que dans le ventre de la mère le bébé suce déjà son pouce. Ce réflexe peut ainsi se déclencher dès le cinquième mois de gestation, à l'occasion d'un frôlement des lèvres par le doigt. Après la naissance, ce savoir-faire est bien utile au nouveau-né, puisqu'il lui permet de se nourrir... et de trouver du plaisir, en dehors même des tétées. Cependant, tous les enfants ne « prennent » pas leur pouce. Faut-il alors leur procurer ce moyen d'apaisement artificiel qu'est la tétine ? La réponse est : pourquoi pas ? Pour un enfant inquiet ou angoissé, la tétine peut avoir un effet relaxant. De plus, sa forme « physiologique » semble avoir peu (sinon pas) de répercussion sur la formation de la mâchoire, ce qui n'est pas le cas du pouce. En revanche, il n'est pas question que la tétine se substitue aux autres gestes maternants et apaisants que sont les câlins, et serve de «bouchon» au moindre pleur!

La tétine, comme le doudou, est particulièrement utile durant les moments difficiles des premières séparations. Des études ont montré que la succion d'un pouce ou d'une tétine permet, grâce à la sécrétion d'endorphines – les fameuses hormones du plaisir –, de diminuer la douleur causée par la piqûre d'un vaccin, même si les patchs antidouleur permettent aujourd'hui de la supprimer, ce qui est encore mieux!

Par ailleurs, certains bébés éprouvent plus que d'autres le besoin de téter. Ce sont souvent des enfants qui semblent avoir tout le temps faim. La tétine permet de répondre à leur besoin, sans passer par une overdose de biberons, qui pourrait, à la longue, entraîner des troubles alimentaires.

⇨ Trop accro?

Vous trouvez votre bébé trop accro à sa tétine? Ne la lui supprimez pas brutalement, surtout à certains âges (six-huit mois et treize-quinze mois) et passages sensibles (entrée en crèche, naissance d'un petit frère, sevrage…). En revanche, évitez de lui donner sa tétine alors qu'il vient de manger et qu'il est en train de s'amuser, et limitez son utilisation aux moments un peu difficiles: séparation, fatigue, endormissement et durant la nuit, par exemple. Faut-il le rappeler? De nombreux enfants se passent fort bien de leur pouce et de leur tétine... En revanche, aucun ne se passe de câlins!

Lui parler, d'accord, mais que lui dire?

« Avant deux ans, ça ne sert à rien de leur parler. Ils ne comprennent rien», affirment certains parents. «Je lui parle de tout, comme à une grande personne», déclarent d'autres. Faut-il parler aux bébés? De quoi? Sur quel ton? Nous comprennent-ils? Voilà des questions qui n'ont pas fini d'être posées, même si de nombreuses études s'y intéressent.

⇨ Bercé par votre voix
Avant d'être sensible aux mots, votre bébé l'est à votre voix. Depuis Terry B. Brazelton, un pionnier de la recherche sur l'hypersensibilité des nouveau-nés, les spécialistes s'accordent au moins sur un point: le nourrisson reconnaît la voix de sa mère parmi celle des autres femmes, et réagit lorsqu'il l'entend. Il identifie également celle de

son père, à condition, cependant, qu'il ait parlé suffisamment près du ventre de la maman durant la grossesse! Ainsi, dès les premiers moments de son existence, votre bébé est bercé par les paroles de sa maman, même lorsqu'elle ne s'adresse pas à lui, et sa voix l'apaise. Ce phénomène est très visible dans les services de néonatologie qui accueillent les enfants prématurés: il est toujours émouvant de voir un tout-petit, dans son incubateur, tourner la tête vers sa maman dès qu'il l'entend parler.

⤙ Les mots, c'est bon pour les bébés!

Parler d'accord, mais inutile de se transformer en moulin à paroles. Avant tout, le langage doit avoir du sens. Le bébé n'est pas un linguiste précoce, il est vrai. En revanche, des études ont montré qu'un bébé de deux jours était capable de reconnaître, dans sa langue natale, trois émotions dans les intonations d'une voix féminine: joie, colère et tristesse. Celle qu'il préfère? L'expression joyeuse…

Ainsi, dès les premiers moments de la vie, le ton fait sens. Dès sept-huit mois, par exemple, votre bébé n'appréhende pas encore la signification précise des mots, mais les inflexions de votre voix, vos mimiques ou les objets utilisés pour appuyer votre propos leur donnent une signification. Par exemple, si vous lui annoncez: «On va se préparer pour aller faire un petit tour au parc», en lui montrant sa doudoune, il n'est pas exclu qu'il regarde la porte! De même, si vous le félicitez parce qu'il tient bien assis, il comprendra au ton de votre voix et à l'expression de votre visage que vous êtes très fière de lui. Pas de panique, si vous n'êtes pas bavarde! L'important est de parler à votre enfant comme vous en avez envie. L'apprentissage de la parole est tout à fait naturel et l'enfant n'a pas besoin d'un professeur de diction!

⇨ Des mots sur ses émotions

Vous le nourrissez de lait, de câlins, mais aussi de mots, chaque fois que vous vous adressez à lui, tendrement, en lui décrivant ce que vous êtes en train de faire. Ce bain affectif de langage introduit votre bébé dans l'univers de la parole et de la compréhension du monde. Et il n'y a aucune raison de s'interdire de «parler bébé», à un tout-petit, si vous le sentez comme ça.

Ce qui est important, pour sécuriser votre enfant, c'est que vous mettiez des mots sur ses émotions, sans pour autant vous transformer en «traducteur permanent» de votre bébé. Cet accompagnement lui permettra de se sentir accepté et compris par vous, dans les moments difficiles où il sera confronté à la peur, à l'angoisse de séparation (*voir les chapitres suivants*). Grâce aux mots, il va prendre conscience de ses compétences de bébé et mettre, peu à peu, de l'ordre dans ses sentiments et émotions.

⇥ Émettre des hypothèses

Parler, certes, mais comment? Il ne suffit pas de discourir sans cesse pour qu'un enfant se sente compris et rassuré. Même les adultes savent que certains mots peuvent inhiber ou figer dans l'incapacité et l'angoisse. Prenons l'exemple de Laurence et de Yohann, son fils de dix mois, qui pleure: «Tu as faim, c'est l'heure de ton biberon, je vais te le préparer.» Pourtant, Yohann ne veut pas du biberon et continue à pleurer, l'air de plus en plus contrarié: «Mais qu'est-ce que c'est que cette crise? Je te fais un biberon parce que tu as faim et tu n'en veux pas! Et en plus, tu es tellement énervé que tu n'arrives pas à le boire!» Bien sûr, cette mère est attentive et recherche une solution pour apaiser son enfant. Cependant, malgré l'échec de sa tentative pour calmer Yohann, elle ne remet pas en question ce qu'elle pense être le meilleur pour lui. Seules des affirmations répondent à son malaise. Quelle mère ne s'est jamais trouvée dans cette situation? Il aurait sans doute été préférable que Laurence dise, avec ses propres mots: «Qu'est-ce qui ne va pas, aujourd'hui? Tu ne veux pas manger? Peut-être es-tu trop fatigué? Ou bien est-ce que tu ne serais pas un petit peu malade? C'est peut-être une dent qui va sortir? En tout cas je me sens bien impuissante à t'aider...» Évidemment, ce n'est pas une recette miracle et elle ne suffira peut-être pas à apaiser l'enfant... Surtout si vous êtes vous-même sérieusement agacés par ses pleurs. Mais en formulant ces hypothèses, vous laissez à votre bébé la possibilité de poser des mots sur ses émotions et ses sentiments, sans rejeter la «faute» sur lui. Ainsi, vous lui parlez de ce que vous ressentez sans chercher à le réprimer mais en le laissant libre de ce qu'il peut éprouver.

N'est-il pas trop petit pour les histoires qui font peur?

Les histoires, on le sait, c'est bon pour les bébés. Les tout-petits se bercent du rythme des mots, de la mélodie des phrases, se familiarisent avec le langage et le temps particulier du récit: «Il était une fois...» Bien sûr, comme nombre de parents, vous pouvez avoir la tentation de lui éviter les «lectures frissons», sous prétexte que le monde est bien assez cruel comme ça... Mais ce n'est pas en lisant uniquement à votre enfant de dix-huit mois des histoires peuplées de petits lapins roses que vous lui éviterez des angoisses. Celles qui parlent de la vie quotidienne, des étapes un peu difficiles à franchir (entrée à la crèche, arrivée d'un petit frère...), ont aussi un rôle dans l'apprentissage de la peur, de ses émotions et de celles des autres. Des récits, même courts, qui abordent des thèmes douloureux, suggéreront à votre enfant des moyens de dépasser sa peur: face à un plus fort que soi, on peut se montrer astucieux, développer son agilité... Certaines éducatrices de crèches témoignent du succès remporté par des petits contes mettant en scène des ogres et des sorcières, auprès d'enfants de dix-huit mois! Loin d'être à l'origine des peurs de l'enfant, ils lui permettent aussi de matérialiser ses angoisses. En lisant une histoire à votre enfant, vous lui présentez une vision du monde. Il est effrayant? Si vous lui racontez une histoire «qui fait peur», dans un cadre rassurant, en désignant les images pour souligner les mots et en le serrant contre vous, lorsque le petit héros est triste ou que le monstre se fait menaçant, l'expérience ne peut être que bénéfique. Cependant, le ton que vous emploierez a aussi son importance, le mieux est de vous exprimer de manière vivante, mais sans excès, car il pourrait alors être décontenancé: pas question de rugir très fort, pour imiter l'ogre dévoreur d'enfant! Pas question, non plus, de se lancer dans de longues histoires compliquées : la capacité d'attention d'un enfant, d'un an et demi-deux ans, se limite le plus souvent à quelques minutes. De même, ne soyez pas déçue s'il ne semble pas encore partager votre goût de la lecture... Ce n'est pas sa priorité pour le moment, voilà tout !

En grandissant, votre tout-petit va être confronté à des peurs réelles qu'il va associer à ces peurs imaginaires, ce qui est très positif. Vous constaterez, d'ailleurs, que les récits qui font peur sont toujours redemandés avec force !

▧ On me dit que je le couve trop...

Il en a de la chance, Simon ! Son papa est pompier. Un vrai pompier, avec un casque qui brille et qui conduit un camion rouge. À sept mois, Simon n'imagine pas encore le succès qu'il aura auprès de ses petits copains, lorsqu'il leur racontera que son père monte tout en haut de la grande échelle ! En revanche, ce que sent confusément Simon, c'est que tout ce qu'il entreprend est une source potentielle de danger. Car le papa de Simon en a vu, des accidents... Son enfant mange ? Attention, il pourrait s'étouffer ! Le bain ? Prudence, une noyade est si vite arrivée... Il se met debout? Attention, il va tomber... Et, bien sûr, Simon tombe, puisque son papa l'avait prévu!

Le père de Simon, comme tout papa (ou maman) poule, est animé des meilleures intentions du monde... Mais cet excès de précaution, au lieu de rassurer son enfant, lui donne l'impression que le monde est menaçant et que le danger est partout, ce qui contribue à renforcer son sentiment d'insécurité... À noter que les mots aussi ont leur importance! Lorsque le papa de Simon lui dit: «Tu vas tomber!», est-ce une injonction ou une mise en garde? Peut-être vaudrait-il mieux dire à son enfant: «Attention, tu risques de...», ce qui ne l'oblige pas à obéir!

⇨ Ne pas tout anticiper

Pour chaque parent, il est donc important de trouver le niveau de protection «normal» qui permet à l'enfant d'expérimenter son corps dans différentes situations. Si, à dix-huit mois, il a envie de caresser un chat, on peut le laisser faire en restant près de lui, sans lui assurer: «Fais attention, il va te griffer!» Autour de deux ans, si votre enfant vous dit qu'il a trop chaud et veut ôter son petit gilet, vous pouvez lui faire confiance, sauf cas de températures extrêmes!

N'essayez pas tout le temps d'anticiper ce qu'il va «peut-être» ressentir! Pour se développer harmonieusement, votre bébé doit pouvoir expérimenter et innover. Heureusement, dans un couple, les deux parents sont rarement tous les deux hyperprotecteurs. L'un de vous peut alors accompagner l'enfant dans les explorations plus «aventureuses».

Il reste que ceux qui prétendent que vous «couvez» trop votre enfant n'ont pas forcément raison. Dans ce domaine, aussi, les modes et les idées reçues existent. Sans parler de ceux ou celles qui pensent tout savoir, parce qu'ils ont élevé quatre enfants ou feuilleté deux ouvrages de Françoise Dolto... Vous n'êtes pas obligée d'être en phase avec votre mère ou votre meilleure amie sur la question de l'éducation de votre bébé! Cependant, si vous entendez régulièrement que vous le couvez trop, il y a peut-être un fond de vrai... Peut-être avez-vous du mal à le voir grandir et s'éloigner de vous? À vous de vous interroger sur les motifs qui vous poussent à protéger votre enfant au-delà des limites du raisonnable!

L'essentiel

■ C'est dans vos bras que votre tout-petit puise les fondations de sa sécurité intérieure. S'il est inquiet, il y trouve la force nécessaire pour reprendre le dessus.

Je rassure mon bébé

Vous pouvez aussi l'apaiser en lui parlant, sans forcément le prendre dans vos bras.

Même les «mots frissons» sont bons pour les bébés! Les histoires qui font peur vont lui donner le moyen de dépasser ses propres craintes.

Il suce son pouce ou sa tétine? Si le besoin de succion l'apaise, laissez-le faire. Si vous restez vigilants, il ne risque pas de devenir «accro».

L'objet de sécurisation, par excellence, reste le doudou qui lui rappelle sa maman. Il sera utile quotidiennement, dans les moments un peu difficiles que pourra traverser votre bébé.

Chapitre 3
Il découvre qu'il est un individu à part entière

Il déteste les têtes nouvelles, prend conscience que les objets hors de sa vue ne cessent pas d'exister, découvre son reflet dans le miroir… Votre tout-petit pose ainsi les bases de son unité psychique, étape fondamentale, où il réalise qu'il est un individu distinct de sa maman.

Pendant neuf mois, le bébé a fait totalement corps avec sa mère. Elle lui fournissait la «nourriture» et l'oxygène indispensables à son développement. En plus du lien physique constitué par le cordon ombilical, de nombreux psychanalystes s'accordent sur l'existence d'un cordon psychique entre la future maman et le bébé, un véritable baromètre qui lui permet de capter, *in utero*, le climat émotionnel maternel.

À la naissance, l'illusion persiste. Quelques mois seront nécessaires avant que le tout-petit réalise, à sa façon, qu'il est différent de sa mère et de son environnement. Or, il est capital pour son développement qu'il se dégage de cette fusion. La réussite de ce passage conditionne dans une large mesure le sentiment de sécurité.

Que faire, pour l'aider à passer le cap ? Ce que vous faites le plus souvent instinctivement, sans même deviner la valeur de votre geste. Vous prenez votre bébé dans vos bras, vous le laissez se blottir au creux de votre épaule, respirer votre odeur et se bercer du bruit régulier des battements de votre cœur. Ce corps à corps, ce «portage» régulier, donne à votre tout-petit l'impression d'être «tenu» et le sécurise. Paradoxalement, c'est donc en maintenant ce corps à corps que vous l'aidez à se détacher de vous et à gagner son autonomie.

Dans les premières semaines, la maman reste «la» référence, celle qui généralement rassure le plus. Mais, aujourd'hui, de plus en plus de pères ressentent l'importance de ce contact avec leur bébé et le prennent dans leurs bras ou le promènent, confortablement niché dans une poche kangourou. Et c'est tant mieux !

Vers huit mois, la peur de l'étranger

Jusqu'alors, Théo, sept mois, était un bébé détendu et souriant qui se laissait facilement porter et approcher par des personnes qu'il connaissait peu. Pourtant, depuis quinze jours, dès que des amis de ses parents viennent chez lui, c'est la crise. Théo semble apeuré, pleure, et sa maman doit aussitôt intervenir pour le prendre dans les bras et le rassurer. Ses parents sont inquiets et interrogent le personnel de la crèche. S'est-il produit quelque chose qui pourrait expliquer cette réaction de crainte à chaque nouveau visage?

Il n'est vraisemblablement rien arrivé, dans la vie de Théo, qui explique ce changement d'attitude... Si ce n'est qu'il traverse, avec un peu d'avance sur le calendrier, la fameuse «crise des huit mois»... Durant cette période réputée sensible, votre tout-petit, souvent de manière très soudaine, va se mettre à craindre toute personne autre que sa mère (ou son substitut, personne de référence à la crèche, nounou etc.).

⇨ **Que se passe-t-il?**
À partir de quatre-cinq mois, votre bébé va commencer à identifier les personnes qui gravitent autour de lui

et à prendre ses premiers repères. Quelques semaines plus tard, il commence à rester assis, tout seul. et à effectuer des petits actes d'autonomie qui espacent le tendre corps à corps avec sa maman. À ce moment, virage à cent quatre-vingts degrés! Votre bébé se trouve confronté à un brutal rejaillissement de l'angoisse de ses premières semaines, et ne réserve ses sourires qu'à une population triée sur le volet : c'est la crise des huit mois qui, de l'avis des spécialistes de la petite enfance, apparaît aujourd'hui beaucoup plus tôt que lorsqu'elle a été décrite par Spitz, un psychologue des années cinquante. Autrement dit, même si on continue à l'appeler la « crise des huit mois », cet épisode peut parfaitement survenir à cinq, six ou sept mois, comme dans le cas de Théo.

• **Explication.** À l'époque de Spitz, les bébés étaient surtout gardés par leur maman et ce n'était qu'à la période du sevrage qu'ils commençaient à être éloignés d'elle. D'où leur bien compréhensible coup de blues, autour de huit mois. Aujourd'hui, en revanche, les bébés ont l'habitude de voir du monde très tôt, et l'on constate qu'ils ont tendance à se détourner des visages peu familiers autour de six mois, à l'âge où ils ont acquis un premier niveau d'autonomie qui rend maman un tout petit peu moins présente et indispensable... même si elle l'est encore beaucoup !

Cette crise des huit mois est la première manifestation d'une longue série d'avancées et de régressions qui émaillent la vie du tout-petit. Durant ses deux premières années, chaque nouvel apprentissage entraîne un petit moment d'angoisse qui pousse votre enfant dans vos bras. Cette phase incontournable ne traduit rien d'inquiétant, au contraire ! Ces périodes de petite régression sont indispensables au bon développement de votre bébé. Ne renoncez donc pas à voir du monde, même s'il se montre un peu sauvage.

⇨ Un passage obligé

Il reste que cette angoisse peut également se manifester vis-à-vis du papa qui a souvent l'impression d'être exclu du tendre duo maman-bébé, comme dans les tout premiers jours. Cet apparent rejet brutal peut être bouleversant pour les pères. Mais cette étape est fort heureusement courte et surtout bon signe ! C'est, en effet, durant cette période que votre bébé va expérimenter qu'il est détaché de sa mère et prendre conscience qu'il est « un ». Il comprend définitivement qu'il existe d'autres personnes qui gravitent autour de lui : les proches, les connaissances… et les inconnus. En bref, il met en place sa propre hiérarchie. Par la même occasion, il pose les premiers repères de son appareil psychique.

• **Ce qu'il faut faire.** Il est important de prendre en compte cette angoisse et de rassurer votre enfant. On peut, par exemple, le prendre dans ses bras, sans lui donner pour autant de mauvaises habitudes, et lui parler en nommant les personnes qui l'effraient momentanément. Dites-lui par exemple : «Tu vois, c'est Isabelle, une amie de maman, on ne l'avait pas vue depuis longtemps, c'est pour ça que tu ne la reconnais pas.» La maman pourra aussi dire : «Tu le connais, c'est ton papa, il rentre du travail comme tous les soirs, il avait hâte de te voir. Quand tu en auras envie, tu pourras aller dans ses bras pour lui faire un petit câlin ou pour jouer.» Quant au papa, provisoirement exclu, qu'il se rassure : dans quelques semaines, dès qu'il passera le seuil de la porte, il réclamera en vain le droit de poser son manteau, avant de se laisser happer par son bébé ! Inutile, donc, de dramatiser. Il peut expliquer doucement à son enfant, sans l'obliger à venir dans ses bras : «J'étais au travail, mais j'ai beaucoup pensé à toi. Maintenant, je suis content de vous voir, toi et ta maman…», car, pour les bébés entourés toute la journée de voix féminines, les voix graves sont parfois impressionnantes. Ainsi, les choses devraient bien vite rentrer dans l'ordre.

En revanche, si ce comportement un peu «crampon» venait à persister, il faudrait peut-être vous interroger sur votre propre attitude. Une maman peut se sentir flattée de voir son bébé lui manifester un amour exclusif... Ou, à l'inverse, agacée, elle peut avoir tendance à le pousser vers les autres de manière un peu autoritaire. Dans un sens comme dans l'autre, elle peut renforcer l'appréhension de son bébé face au monde extérieur. Il est donc important de rester suffisamment attentif et souple pour qu'il se détache peu à peu de vous, en toute sérénité !

« Coucou, il est là ! »

Dans la même période, le bébé fait la découverte de ce que le psychologue suisse Jean Piaget a désigné sous le terme de «permanence de l'objet». Sous ce nom un peu compliqué se cache une notion très simple, fondatrice du développement de l'enfant. Le principe ? Jusqu'à environ neuf mois, si vous cachez un jouet sous une couverture, sous les yeux de votre bébé, il ne le cherche pas. Pour lui, si l'objet disparaît, il cesse tout simplement d'exister. Progressivement, il va se rendre compte que la réalité est différente. Il va alors chercher sous la couverture et faire réapparaître l'objet en question. Une découverte qui est loin d'être anodine ! Rassuré sur le fait que les objets existent, même quand ils sont loin de sa vue, votre bébé va comprendre que lorsque vous passez le seuil de la porte, vous pouvez réapparaître d'un moment à l'autre... Cette prise de conscience est d'autant plus fondatrice qu'elle va lui permettre de mieux supporter vos absences.

⇨ La maîtrise de l'absence

Le père de la psychanalyse, Sigmund Freud, qui a pourtant très peu travaillé avec les tout-petits, observait un jeune enfant, de son entourage, qui jouait avec une bobine en l'absence de sa mère. Il remarqua que lorsqu'il lançait la bobine sous le meuble, l'enfant disait « *fort*» (loin) et qu'il la ramenait avec une vive satisfaction en disant «*da*» (là). Il en déduisit que cet objet matérialisait pour l'enfant les absences de sa mère et lui permettait de les maîtriser par le jeu. Son désir étant satisfait, il pouvait dominer son angoisse de séparation en manipulant l'absence et la présence. L'enfant acquérait ainsi un sentiment interne de sécurité. Pas étonnant, donc, qu'avant sa première année, votre bébé adore les jeux de cache-cache !

Autour de neuf mois s'ouvre ainsi la réjouissante période des «Coucou, il est là!». Vous pourrez jouer indéfiniment à faire apparaître ou disparaître un petit objet, ou à couvrir et découvrir votre propre visage de la main, en vous exclamant alternativement: «Coucou! (visage couvert), ça y est! (visage découvert)», avec un succès rarement démenti! Par ce jeu décliné à l'infini, votre tout-petit, avec votre aide, se donne la possibilité de maîtriser certaines situations insécurisantes, de résoudre l'anxiété née de votre absence, et, ainsi, renforce sa sécurité de base.

▨ Il se découvre dans le miroir

Les parents des tout-petits qui fréquentent les crèches sont parfois surpris lorsqu'ils visitent les locaux réservés aux bébés: le bas de l'un des murs est souvent tapissé de miroirs dans lesquels les enfants, assis dans leur siège ou crapahutant à quatre pattes, peuvent contempler leur reflet. Ce qui ne manque pas de susciter des questions: est-ce bien utile de les encourager à se regarder? Ne vaudrait-il pas mieux qu'ils s'intéressent aux autres? Non, l'objectif de ces dispositifs n'est pas d'encourager le narcissisme des bébés! En revanche, la capacité d'un enfant à se reconnaître dans un miroir est primordiale pour qu'il se sente un individu à part entière, étape clé de son développement moteur et psychique, dont l'importance a été notamment soulignée par le psychiatre et psychanalyste français Jacques Lacan.

Prenons l'exemple de Camille, onze mois. La petite fille est dans la salle de bains, dans les bras de sa mère. Toutes les deux se regardent dans la glace. Soudain, Camille se retourne vers sa maman avec un air ravi, puis regarde de nouveau le miroir. À ce moment, intriguée, elle veut toucher son reflet, comme pour mieux comprendre le phénomène.

Que se passe-t-il, dans la tête de Camille? Jusqu'à six mois environ, elle n'a ressenti ses limites corporelles et ses contours que lorsqu'elle était tenue dans les bras, durant les différents soins quotidiens ou à l'occasion de ses premières chutes. En revanche, elle n'a pas encore de représentation visuelle d'elle-même. Entre six et dix-huit mois et tout au long de plusieurs étapes, elle va donc découvrir son reflet dans le miroir et s'identifier à sa propre image.

⇨ « C'est ton reflet ! »

Le plus souvent, votre bébé va, comme Camille, prendre conscience que le miroir reflète son image au moment où il est porté. Il ressent son portage, et, là, dans la glace, il se voit. Il reconnaît sa mère, puis, par déduction, sa propre image, puisque ce bébé que sa mère porte ne peut être que lui.

Comment l'accompagner dans cette découverte ? Médecin et psychanalyste, Françoise Dolto conseillait aux parents d'expliquer à l'enfant : « C'est ton reflet, le miroir permet de te voir », plutôt que de dire : « C'est toi, dans le miroir ». À travers son expérience et vos paroles qui l'accompagnent, votre bébé va ainsi avoir la confirmation qu'il existe deux individus distincts, sa mère et lui-même.

L'essentiel

▨ Paradoxalement, c'est en maintenant le corps à corps avec votre bébé que vous l'aidez à se détacher de vous et à construire son unité psychique.

▨ Autour de huit mois, période réputée sensible, votre bébé se trouve confronté à un brutal rejaillissement de l'angoisse de ses premières semaines. De manière soudaine, il va se mettre à craindre toute personne autre que sa mère.

Entre six et dix-huit mois, la découverte de son reflet dans le miroir va permettre à votre tout-petit de comprendre qu'il est une personne à part entière. Il le sentait, maintenant il va «voir» qu'il est distinct de sa mère.

Chapitre 4
Il met en place
ses limites corporelles

Pour rassurer votre bébé, rien de mieux que les bras de sa maman ! En le portant, vous lui permettez de sentir les limites de son corps et d'installer son unité physique. Une prise de conscience qui va lui donner envie d'aller de l'avant et d'explorer les frontières de son territoire.

« Dans les bras ! » : l'importance du portage

À la fin de votre grossesse, vous avez souvent remarqué que votre bébé bougeait un peu moins. Il faut dire qu'il ne lui restait plus beaucoup de place pour se retourner... Dès la naissance, il va rechercher la sensation qu'il avait, lorsque son corps était totalement entouré par l'enveloppe protectrice maternelle. Ce contact va lui permettre de ressentir les limites de son corps qu'il ne connaît pas encore très bien. Car votre tout-petit ne sait pas vraiment quand c'est lui et quand ce n'est plus lui... Être maintenu, porté, entouré, va donc lui permettre de se sentir «relié»: peu à peu, il prend conscience que ses doigts sont raccordés à ses mains, que ses mains prolongent ses bras, eux-mêmes connectés à son thorax... Bref, qu'il forme un ensemble «fini». Quand vous portez votre bébé dès la naissance peau contre peau, ou dès la sortie de la maternité dans le kangourou, en lui maintenant bien la tête et les hanches avec vos mains (afin qu'il se sente « porté » et non pas supendu) vous le «contenez» et il pose les bases de son schéma corporel.

⇨ **Un bébé bien entouré**
Ces sensations, il va également les rechercher par lui-même. Peut-être avez-vous remarqué, dès la maternité, combien votre tout-petit aime se lover contre les parois de son berceau? Il cherche vraisemblablement à retrouver les sensations *in utero* d'un contact étroit contre son corps. D'où l'intérêt, pour son premier lit, de succomber au charme d'un berceau et d'attendre quelques mois avant d'opter pour le «grand» lit à barreaux, dans lequel il risquerait de se sentir un peu perdu!

Un jour de forte chaleur, la mère de Léa, deux mois, convaincue que sa petite fille appréciera ce sentiment de liberté, l'habille d'une simple couche. Or, son bébé ne cesse de pleurer et ne se calme que lorsque sa mère la couche, enveloppée dans une turbulette.

C'est parce qu'ils aiment être entourés que les bébés, même les jours de canicule, n'aiment pas rester tout nus! Un petit vêtement de coton léger qui les contient, est souvent indispensable à leur bien-être. Il ne s'agit pas, pour autant, de revenir à l'emmaillotement tel qu'il se pratiquait en France, jusqu'au début du xxe siècle, et qui est encore en usage dans certains pays! Cependant, en enveloppant votre bébé, vous créez une sensation d'étreinte qui le rassure. «Avec l'aide de la technologie moderne, des médecins ont constaté que les bébés douillettement emmaillotés dans une couverture ou un châle ont un rythme cardiaque ralenti et une respiration plus paisible, régulière. En outre, ils sont moins sur le qui-vive, pleurent moins, dorment plus. Les bébés sans maillot sont pleins de vie, mais ils sont également plus énervés, plus tendus et beaucoup plus agités», remarque Desmond Morris*, fameux zoologue anglais, qui s'est longuement penché sur l'espèce humaine.

* In *Le Bébé révélé*, Calmann-Lévy, 1995.

⇨ **Changez-le de position!**

Dans les sociétés tribales, il est souvent d'usage de porter en permanence le bébé contre soi. Chez nous, en revanche, il n'est pas rare, pour de jeunes parents, d'entendre : «Encore dans vos bras? Vous allez lui donner de mauvaises habitudes…», voire le fameux : «Tu ne crains pas d'être une mère trop fusionnelle?» La meilleure attitude? Laissez dire… et continuez! Durant ses tout premiers mois, il est en effet très important, pour l'enfant, d'être porté : aucun siège, aussi enveloppant soit-il, ne pourra remplacer ce contact et ne permettra autant de renforcer l'unité corporelle de votre enfant.

Lorsqu'il est éveillé, un tout-petit apprécie aussi de changer régulièrement de position. Il est aujourd'hui entendu qu'il doit, sauf cas particulier, être couché sur le dos pour dormir. Loin d'être une mode, cette position a permis de réduire considérablement les cas de mort subite du nourrisson. Mais rien ne vous empêche, lorsqu'il est éveillé, et à condition de rester près de lui, de mettre votre enfant, un moment (pas plus de quelques minutes) sur le ventre, sur le côté, assis… Sans en abuser et sans tomber dans l'hyperstimulation motrice, vous l'aiderez à prendre conscience de son corps. Cependant, votre enfant doit pouvoir avancer à son rythme! En restant à son écoute, vous l'aidez aussi à poser les bases de son schéma corporel, c'est-à-dire la manière dont il se perçoit dans l'espace, un des éléments fondamentaux qui va assurer sa sécurité intérieure.

Bébé explore

À partir de six mois, fort de cette première unité corporelle installée, votre bébé va intensifier son action exploratoire et la diversifier. Comment découvre-t-il le monde ? En se déplaçant, bien sûr, mais pas seulement ! Pour mieux connaître ce qui l'entoure, il a un outil idéal : sa bouche. Les premiers mois de vie du nourrisson, qui s'étendent de la naissance jusqu'à treize-quinze mois, sont placés sous la primauté de la zone buccale, d'où le terme de «stade oral» défini par Freud. La bouche, cette «cavité primitive» décrite par le psychanalyste René Spitz, dans le cadre de ses recherches sur la relation mère-enfant, est en effet le premier lien fonctionnel du bébé avec le monde. Loin de se limiter à un entonnoir passif, la bouche est l'objet d'un vif plaisir que les tétées, au sein ou au biberon, provoquent et stimulent. «Le besoin physiologique de sucer apparaît dès les premières heures de la vie, mais, repu, le bébé continue pendant le sommeil de sa digestion à suçoter ses lèvres, pendant que

son aspect extérieur reposé et béat traduit la volupté»,
souligne Françoise Dolto.

Une fois repu, votre bébé porte tout à la bouche pour
explorer son territoire, mais aussi pour reproduire lui-
même le plaisir qu'il vient de vivre. C'est l'époque où
les parents doivent faire preuve de la plus grande prudence vis-à-vis de ce bébé avide de découvertes. Pas
question de le laisser porter à la bouche des ustensiles
petits, sales ou dangereux. En revanche, il est important
de laisser votre enfant explorer cette nouvelle voie de
connaissance, dans la limite du raisonnable. Et il serait
dommage d'enlever systématiquement les objets que
«teste» votre bébé de neuf mois, sous prétexte qu'ils
ne viennent pas d'être stérilisés.

⇨ Petites expéditions et grandes découvertes

Progressivement, sa soif de découverte va amener
votre bébé, comme le petit Roi Lion, à partir explorer
les frontières de son territoire. Au début, ses capacités
motrices restreignent quelque peu ses possibilités.
Heureusement, vous êtes là!

Pour l'aider à progresser, tout est encore une affaire
de dosage. Il est par exemple totalement inutile, voire
néfaste, de le mettre systématiquement en échec, comme le font certains parents trop pressés, en l'encoura-

geant à avancer alors qu'il tient à peine assis. Mais il ne s'agit pas, non plus, d'anticiper le moindre de ses gestes afin qu'il n'ait nul besoin de vous montrer ce dont il est capable ! La meilleure attitude consiste à accompagner votre enfant, sans brûler les étapes et sans l'insécuriser, ce qui lui donnera envie de continuer à vous épater. Bien sûr, il y a des normes que l'on peut brièvement rappeler : vers quatre mois, il commence à pousser sur les bras, comme pour faire des pompes. À cinq mois, il comprend comment rouler sur lui-même et, vers six mois, il tient assis sans aide. Autour de neuf mois, il peut découvrir la marche à quatre pattes, ou toute autre forme de reptation plus ou moins originale (sur une fesse, une cuisse...), avant de s'essayer à la marche. Mais tous les enfants ne sont pas prêts au même âge ! Certains marcheront tôt, vers dix mois, et d'autres autour de dix-huit mois. Et ils sont également nombreux à se contenter, durant plusieurs mois, de leur déplacement à quatre pattes qui remplit parfaitement sa fonction exploratoire ! Pendant que ces enfants crapahutent, d'autres restent tranquillement assis. Ces petits contemplatifs préfèrent observer et prendront plus de temps pour faire leurs premiers pas. Certains bébés ont aussi besoin d'être très à l'aise avant de passer à l'étape suivante. Mais cela ne veut pas dire qu'ils parleront tard, qu'ils seront moins éveillés ou moins intelligents! Il se peut, bien au contraire, que votre petit observateur se révèle rapidement beau parleur...

⇨ Ayez confiance en ses capacités

Les trotteurs ont-ils une utilité? Certes, ces petits chariots à roulettes (pour lesquels les avis sont partagés, sauf sur le fait qu'ils doivent être utilisés avec modération) lui permettent de se déplacer «seul», à sa grande joie. Mais, dans les bras de son papa ou dans le sac à dos avec sa maman, votre bébé se déplace aussi en toute sécurité: il peut sentir une fleur, saisir un tissu entre ses doigts, toucher une vitre... Et découvrir son univers d'un tout autre point de vue.

Sans faire de la marche une fixation, vous pouvez lui donner envie d'aller vers les autres et de découvrir d'autres lieux, en procédant avec douceur et surtout sans le mettre sous pression. Votre rôle? L'encourager, s'il semble avoir peur. S'il tombe sur les fesses, mieux vaut éviter de se précipiter sur lui (d'autant que ses couches vont amortir le choc), ce qui risquerait de le conforter dans la notion de danger. En revanche, vous pouvez dédramatiser et l'encourager gentiment à se relever. Grâce à votre attitude rassurante, il va être convaincu, comme vous, de sa propre capacité à marcher, à grimper et à faire face aux obstacles. Peu à peu, il se sentira prêt à vous lâcher la main et il le fera de lui-même.

⇨ Place au plus téméraire !

Cependant, s'il hésite à se lancer, il peut également s'agir d'une trop grande anxiété qu'il sent autour de lui, et qui l'empêche de prendre le moindre risque... Dans ce cas, pourquoi ne pas confier au parent le plus serein le soin de l'encourager dans cette nouvelle expérience ? Les papas sont souvent très bien placés pour ça ! Souvent, ce sont eux qui permettent à l'enfant, juché sur leurs épaules, de découvrir son environnement, ou qui lui donnent l'occasion, par le biais de jeux plus «physiques», d'explorer ses limites corporelles. Mais ces petits chahuts doivent se faire dans la plus grande douceur, lorsque votre bébé aura acquis une certaine tonicité, et seulement s'il y trouve manifestement du plaisir ! Mieux vaut également veiller à ne pas dépasser le seuil d'excitation raisonnable, au-delà duquel il mettra du temps à se calmer et à trouver le sommeil, ce qui risque de vous obliger à faire les gros yeux...

Faut-il le rappeler ? Pas question de jeter vigoureusement votre tout-petit en l'air, ni de le secouer énergiquement, sous prétexte de jouer ou de le calmer. Récemment, les médecins relayés par les médias ont mis en garde les parents contre des comportements de ce type qui ont, dans quelques cas, entraîné des lésions cérébrales graves. Vous rêviez d'arpenter fièrement la ville, votre enfant perché sur vos épaules, et il déteste ça ? Attendez quelques semaines, avant de retenter l'expérience. Même s'il risque de peser un peu plus lourd sur votre dos, son air ravi vous récompensera largement de cette petite attente.

L'essentiel

▨ Dans les premiers mois qui suivent la naissance, votre tout-petit ne connaît pas bien les limites de son propre corps. Il ne sait pas encore quand c'est lui et quand ce n'est plus lui.

▨ En le portant dans vos bras, vous l'aidez à prendre conscience et à mettre en place son unité physique.

▨ Grâce à vos encouragements, sa soif de découverte va l'amener à explorer les frontières de son territoire.

▨ Les pères sont souvent moins anxieux que les mères. Laissons-les encourager les enfants dans de nouvelles expériences.

Chapitre 5
Des séparations qui construisent

**Il ne vous quitte pas d'une semelle, abandonne
ses cubes dès que vous n'êtes plus près de lui pour jouer,
refuse d'aller se coucher, fait tout un drame si vous
le confiez deux heures à sa mamie... En ce moment,
votre bébé est un peu crampon! Est-ce normal?**

▩ Lorsque surgit l'angoisse de séparation

La vie de votre tout-petit est rythmée par les séparations. La première? La naissance, bien sûr. De nombreux
spécialistes, à la suite du psychanalyste autrichien Otto
Rank, n'hésitent pas à parler d'un véritable trauma-
tisme psychique et physique de la naissance. Il semble-
rait, pourtant, que le bébé se prépare à cette rupture
quelques jours avant l'accouchement. «Vers le neu-

vième mois, c'est lui qui prend l'initiative de ses comportements. Il agit moins en réponse à sa mère. Déjà, il manifeste un début d'autonomie : encore coincé dans sa cavité maternelle, il amorce la séparation. Il commence à mener sa vie : il s'agite quand elle se détend, il profite de sa sieste pour gambader et la réveiller », souligne l'éthologue Boris Cyrulnik*.

⇨ Se quitter pour dormir

Après la naissance, la vie va s'organiser autour de votre bébé. Parmi les premières séparations figure celle du coucher. Qu'il est parfois difficile, cet instant où il faut se quitter ! Il est cependant fondamental. Le psychanalyste britannique D.W. Winnicott, qui s'est particulièrement intéressé aux tout-petits, souligne en effet qu'il est important que l'enfant expérimente très tôt la solitude. En développant sa capacité à être seul, dans des conditions très sécurisantes, le bébé va se sentir un être à part entière, différencié de sa mère.

Roxane, sept mois, refuse de s'endormir seule, dans sa chambre, et pleure jusqu'à ce que ses parents cèdent et la sortent de son lit. Elle finit, en général, par trouver le sommeil dans les bras de l'un ou de l'autre, ou dans

---

* In *Les Nourritures affectives*, Odile Jacob, 1993.

son fauteuil-relax, bercée par leurs voix. Ses parents s'interrogent sur la difficulté de leur bébé à se séparer d'eux pour la nuit.

Que répondre aux parents de Roxane? Tout simplement que les séparations font partie de la vie, qu'elles sont inévitables et même souhaitables. Même si elle proteste, Roxane a besoin de ces moments de solitude nocturne pour renforcer son sentiment de sécurité.

⇨ Des sentiments contradictoires

Cependant, les parents de Roxane pourraient également s'interroger sur la façon dont ils envisagent cette séparation et sur les sentiments contradictoires qu'elle suscite peut-être. Certains parents sont en effet très angoissés à l'idée de se détacher de leur enfant et finissent par reconnaître une certaine ambivalence. Ils veulent coucher leur bébé? Oui, mais: «Je ne le vois pas assez dans la journée», « Je n'aime pas m'en séparer», « J'étais comme lui, j'avais peur du noir et de la solitude», « Je suis terrorisée par la mort subite du nourrisson»... Sans parler des craintes plus ou moins avouables de se retrouver en tête à tête. Réfléchir à ses propres inquiétudes permet souvent de résoudre rapidement le problème. Une fois convaincus de l'importance, pour l'équilibre de votre bébé, qu'il s'endorme dans son propre lit, à une heure décente, vous constaterez souvent que cette séparation est plus facile *(voir également le chapitre 7)*.

En respectant ce principe de séparation nocturne, vous permettez à votre enfant de ne pas entretenir la confusion des espaces (son lit n'est pas le canapé) et des heures (la nuit, c'est fait pour dormir). Cette coupure va aussi lui permettre de découvrir qu'il existe des moments avec ses parents et des moments sans. Tandis que vous vaquez à vos occupations dans la pièce voisine, votre bébé apprend à se percevoir comme un individu qui possède ses propres ressources : il développe son imaginaire et apprend à différer la satisfaction de ses désirs. Un véritable acquis pour le futur !

⇨ Des séparations adaptées

Même s'il est gardé à la maison par l'un de ses parents, vous serez amenés assez vite à confier votre bébé à sa grand-mère, à une halte-garderie ou à une baby-sitter, lorsque vous aurez envie de sortir. Ces séparations importantes pour lui sont également nécessaires à votre propre équilibre.

Durant ces petits moments de la journée, le bébé va apprendre à vivre sans sa mère, de manière ponctuelle.

Il va aussi être confronté à une autre personne «maternante». Cette expérience est essentielle pour lui, car elle va lui permettre de sortir du tête-à-tête et de la relation fusionnelle qu'il entretient avec sa mère.

À moins que des circonstances particulières ne l'exigent, il vaut mieux remettre à plus tard un voyage de deux semaines sans votre bébé de trois mois. En revanche, vous pouvez parfaitement le confier à sa mamie qu'il connaît, pour un week-end qui vous permettra de faire le plein d'énergie. Toutes ces petites séparations, même si elles suscitent quelques larmes, ne risquent pas de traumatiser votre enfant et se passent le plus souvent très bien... À condition que vous en soyez persuadés!

La moindre minute de solitude l'angoisse

La maman de Thomas, sept mois, ne peut pas faire un pas hors de la pièce où il se trouve. Si elle répond au téléphone dans la pièce à côté ou se déplace quelques secondes hors de sa vue, c'est le drame. Thomas hurle, trépigne et semble très inquiet.

Votre bébé, comme Thomas, peut éprouver des difficultés à supporter ces petits moments et avoir besoin de vous voir ou de vous entendre pour se rassurer. Il redoute les absences et peut être confronté à la fameuse angoisse de séparation. Or, vivre ces courtes périodes, sans vous, va l'aider à se construire et à s'adapter progressivement au monde extérieur. Bien sûr, il ne s'agit pas de vous éloigner en laissant votre bébé livré à lui-même. En revanche, en l'absence de tout danger, vous pouvez l'encourager à rester dans le salon, durant les minutes nécessaires à la préparation de son biberon dans la cuisine. S'il manifeste sa colère, vous n'êtes pas obligés de satisfaire immédiatement son désir, sans pour autant prolonger l'épreuve trop longtemps. Vous pouvez lui dire de loin : «Tu vois, j'arrive très vite, je fais chauffer l'eau pour ton biberon, il va être bientôt prêt, ce ne sera pas long...» Plus vous l'habituerez à des petites temporisations et à ne pas être tout le temps physiquement auprès de lui, plus il lui sera facile de se séparer de vous.

⇨ Des moments de régression
Lorsqu'il commence à marcher, cette peur, qui avait pu disparaître ou s'atténuer, fait sa réapparition. Le voilà de nouveau un peu «crampon», comme un bébé !

Robin a quatorze mois. Jusqu'ici, c'était un bébé paisible et souriant, qui acceptait sans problème les petites

séparations et ne manifestait aucune angoisse particu-
lière. Or, en ce moment, selon ses parents perplexes,
c'est un «vrai petit pot de colle!»

Que se passe-t-il? À son âge, Robin a accumulé un
nombre impressionnant d'acquisitions nouvelles et sait
presque marcher. Il maîtrise aussi l'usage de quelques
mots. Il grandit, s'éloigne de ses parents et se sent peut-
être un peu coupable... D'où sa tendance à ne pas les
lâcher d'une semelle.
Du point de vue de la psychanalyse, Robin quitte le
stade oral pour accéder au stade anal, durant lequel
il veut tout maîtriser, objets et personnes. Comme à
chaque fois qu'il franchit une de ces étapes, il va vivre
une phase de régression et exprimer inconsciemment
son désir de redevenir un tout petit bébé. Ce passage
va donc s'accompagner, pour Robin, de moments où
il a besoin de présence, d'avoir son parent pour lui et
de le maîtriser pour se rassurer.
Il est aussi possible que l'ambivalence de ses sentiments
trouve un écho dans les vôtres. Bien sûr vous claironnez
triomphalement à vos proches: «Il sait marcher!» Il
n'empêche que vous vous sentez peut-être un brin nos-
talgique, car «ce n'est plus un bébé...», même s'il a
encore besoin de vous et pour longtemps. Quant à

cette angoisse de séparation, elle disparaîtra progressivement, lorsque votre enfant, sécurisé, entrera dans la phase œdipienne, entre trois et six ans.

▨ Pourquoi il ne joue jamais seul

«Il ne joue jamais tout seul, il faut toujours que je sois près de lui, même pour empiler ses cubes!» En effet, certains enfants éprouvent parfois des difficultés à rester seuls quelques instants avec un jeu, alors qu'un de leurs parents se trouve dans la pièce d'à côté. Pourquoi? Sans doute parce qu'ils ne se sentent pas encore suffisamment tranquilles et rassurés.

Jouer seul, c'est se faire confiance, mais aussi accepter d'être face à soi-même dans une activité créatrice. Ce sont les premiers pas vers l'indépendance de la pensée... Certains parents sont très directifs et n'envisagent le jeu que sous l'angle de l'apprentissage, ce qui suppose qu'ils soient présents. Certaines mères éprouvent aussi des difficultés à «lâcher» leur bébé et se sentent indispensables à tout, y compris au jeu. À tel point que le bébé n'ose plus s'amuser tout seul. Or, à quoi sert un jeu? Avant tout à stimuler l'imaginaire!

Vous pouvez évidemment montrer à votre enfant comment s'encastrent le rond, le carré et l'étoile, dans les trous de sa petite boîte en forme de coccinelle. Mais s'il préfère, tout seul, se contenter de secouer frénétiquement son jouet parce que le bruit des petits objets qui s'entrechoquent à l'intérieur l'amuse, laissez-le faire ! Il expérimente, il découvre… Votre bébé apprend aussi beaucoup de cette façon.

⇨ **Apprivoiser la solitude**
Il est important d'encourager votre enfant à vivre ces petits instants de solitude dans lesquels il va aussi dépasser le sentiment d'abandon. Il semble encore avoir du mal à rester seul un moment ? Ne l'obligez pas, mais soyez à son écoute. Rassuré par votre proximité, votre bébé va bientôt se décider à jouer seul, ou à rêver tranquillement durant quelques minutes. Vous n'êtes pas une mauvaise mère parce que votre enfant, parfois, reste sans rien faire !

Il se réveille après la sieste, dans son lit, et commence à babiller et à s'amuser tranquillement avec ses mains ou ses pieds ? Réfrénez votre envie de le prendre immédiatement dans vos bras ! Au contraire, laissez-le jouer et expérimenter ces premiers instants de solitude paisible, durant lesquels il peut éprouver un certain plaisir et un sentiment de liberté. Progressivement, il va comprendre qu'à chaque séparation et période de solitude suc- cède le tendre moment des retrouvailles.

L'essentiel

La «capacité à être seul», que décrit D.W. Winnicott, commence à s'installer dès les deux premières années de votre enfant.

Les petits moments de solitude vont lui permettre de se construire et de mieux s'adapter petit à petit au monde extérieur.

Les séparations entre vous sont inévitables et même souhaitables pour votre bébé, il suffit simplement de bien les préparer.

Autour de huit et de quatorze mois, la séparation peut cependant créer une angoisse.

Chapitre 6
Il affronte les premières épreuves de la vie

«J'arrête de l'allaiter», « Je recommence à travailler»...
Certaines épreuves «normales» de la vie peuvent être
déstabilisantes pour votre bébé. D'autant qu'à
son âge, il déteste les changements! Comment l'aider?

▦ J'arrête de l'allaiter

Arrêter d'allaiter ne se résume pas, pour le bébé et sa
maman, à un simple changement de nourriture. Pour
le tout-petit, le sevrage est aussi un événement qui peut
profondément retentir sur son développement psychique. Que représente, pour lui, le sein? L'objet de désir,
par excellence, où il puise sa nourriture et son plaisir. Or,
ce sein, auprès duquel il contente tous ses sens, va lui
être retiré, au profit d'un drôle d'instrument à la tétine

bizarre et au goût étrange. Pas question, donc (à moins d'y être obligée), de lui faire adopter le biberon du jour au lendemain.

⇨ Une seule épreuve à la fois !

Aujourd'hui, 70 % des mamans disent avoir sevré leur bébé plus tôt qu'elles ne le souhaitaient. Le problème du sevrage est, en effet, qu'il coïncide souvent avec la reprise du travail. Du coup, l'enfant doit faire face, à la fois, à une séparation et à un autre mode d'alimentation. L'idéal ? Éviter de cumuler sevrage et tout autre changement dans sa vie.

Vous n'êtes pas trop pressée ? Vous pouvez alors organiser le sevrage sur plusieurs jours. Commencez par habituer votre bébé en complétant quelques tétées par un biberon. Puis consacrez une petite quinzaine de jours au sevrage proprement dit. Vous pouvez par exemple supprimer une tétée tous les deux ou trois jours, en commençant par le milieu de la journée et en finissant par celle du matin et du soir. Cette façon de procéder est satisfaisante, tant sur le plan physique que psychologique, pour votre bébé, mais aussi pour vous. En planifiant le sevrage, vous vous laissez à tous deux le temps de trouver de nouveaux repères, sur le plan nutritionnel, corporel et affectif. Cependant, même si vous devez reprendre votre travail, rien ne vous empêche de conserver la tétée du soir et du matin. Si vous êtes motivée, vous pouvez aussi tirer votre lait et confier le biberon à la crèche, qui le donnera à votre enfant, à l'un de ses repas. Cette organisation vous permettra, à lui et à vous, de négocier les premières séparations en douceur.

⇨ Si le sevrage est brusqué

Un mois après la naissance de son fils Paul, Laura doit être hospitalisée d'urgence, pour une crise d'appendicite. Au total, quelques jours d'hôpital et une opération somme toute bénigne. Mais, à la maison, Paul s'oppose farouchement à ce changement et rechigne à prendre des biberons auxquels il n'avait jamais été habitué.

Lorsqu'il est brutal, le sevrage peut être difficile, tant du côté de la maman que de celui de l'enfant. Celui-ci peut refuser toute autre nourriture que le lait maternel, vomir... Afin d'éviter que cette rupture ne l'insécurise fortement, il est capital que votre enfant soit très entouré et rassuré durant cette période. Assurez-vous de la présence attentive d'une personne qui lui est très familière (son papa, sa mamie...), avec pour consigne de multiplier tout ce qui peut le sécuriser : portage, doudou imprégné de votre odeur, câlins... En prenant ces précautions, vous atténuerez largement les souvenirs un peu douloureux qui peuvent être liés à cette étape. Vous évitez ainsi que l'angoisse ne se manifeste plus tard, à l'occasion de nouvelles séparations.

⇨ Et vous, comment le vivez-vous ?

Le sevrage peut être rendu difficile parce que la maman redoute cette nouvelle séparation et éprouve un réel plaisir à allaiter. Certes, elle semble l'encourager à accepter le biberon... Mais en a-t-elle vraiment envie ? Une mère peut aussi tirer une réelle satisfaction à voir son bébé préférer son lait à tout autre et ce sentiment est bien légitime ! Il n'est pas impossible, en ce cas, qu'elle l'incite inconsciemment à refuser toute autre forme d'alimentation. Si ce sevrage vous perturbe, pourquoi ne pas essayer de conserver les tétées du matin et du soir ? Elles vous permettront, à tous les deux, de faire durer ce lien, jusqu'à ce que vous vous sentiez prête à le rompre en toute sérénité, vous et votre bébé.

▓ Je recommence à travailler

La France est le pays d'Europe où l'on fait le plus de bébés, mais aussi celui où l'on compte le plus de femmes actives. Aujourd'hui, environ 80 % des femmes de vingt-cinq à quarante-neuf ans travaillent (elles étaient 60 % en 1975, selon l'INSEE). Votre bébé n'est donc pas le premier à devoir se séparer de sa maman, quand vous reprenez le chemin du bureau... Mais si faire garder son enfant est un événement banal du point de vue de la société, le cap est souvent plus difficile à franchir sur le plan psychologique, tant pour la mère que pour l'enfant. D'où l'importance, comme pour le sevrage, de préparer au mieux cette étape.

⇥ Des âges favorables

D'après le psychanalyste britannique John Bowlby, qui a particulièrement travaillé sur le thème de l'attachement, la séparation est d'autant plus facile que votre enfant est âgé de moins de neuf mois. Si vous le pouvez, essayez plutôt de confier votre bébé vers cinq-six mois, ou attendez ses dix-huit mois, afin qu'il ait dépassé ce stade un peu sensible, pour recommencer à travailler. Autour de treize-quatorze mois, la transition maison-nounou (ou crèche, etc.) peut être, en effet, plus longue à négocier. C'est précisément l'âge qu'aura votre enfant, si vous avez choisi de prendre une année de congé parental ! Si c'est votre cas, n'hésitez pas à planifier cette séparation un peu plus tôt, ou, si possible, attendez encore quelques mois avant de reprendre le chemin du bureau.

Cependant, quel que soit l'âge de la séparation, John Bowlby insiste sur l'importance de l'adaptation progressive au nouveau mode de garde, sur la qualité du substitut maternel et sur la durée de ces moments de séparation. Forts de ces enseignements, comment aider votre bébé ? En l'habituant progressivement à se séparer de vous. Car passer brusquement des bras de sa maman à une absence de huit, voire dix heures quotidiennes est, il faut bien l'admettre, un peu brutal. À vous de l'habituer en douceur à apprivoiser la solitude. Ces petits moments sans vous le prépareront à mieux supporter la grande à venir *(voir le chapitre 5)*.

⇨ Quel mode de garde ?

Vous avez le choix du mode de garde ? Vous avez de la chance ! Vous pouvez alors opter pour la formule la plus adaptée aux besoins de votre tout-petit. Crèche collective, assistante maternelle, crèche familiale, garde à domicile ou crèche parentale, que choisir ? Il y a des endroits rassurants et épanouissants, et des femmes qui s'occupent des enfants avec amour et sens des responsabilités, dans chaque mode de garde.

Pour certains bébés, le poids de la collectivité, toute la journée, peut être assez lourd. La crèche familiale paraît donc particulièrement adaptée aux tout-petits, car elle cumule les avantages de l'assistante maternelle et ceux de la collectivité. Le principe ? Il s'agit d'un regroupement d'assistantes maternelles qui accueillent votre bébé, chez elles, avec d'autres enfants. Elles les emmènent une à deux fois par semaine à la crèche (qui assure également leur formation), où ils pratiquent diverses activités avec une éducatrice.

• **Chez vous.** Vous craignez qu'il se sente un peu seul, s'il est gardé chez vous par une nounou, ou si vous prenez un congé parental ? Soyons réalistes, votre bébé de six mois n'a pas besoin d'avoir des copains, la socialisation viendra un peu plus tard ! En revanche, passé ses dix-huit mois, rencontrer d'autres enfants se révèle souvent très stimulant pour lui. À cet âge, une à deux journées par semaine en halte-garderie peuvent lui être très bénéfiques.

• **Ouvrez le sas !** L'adaptation, c'est capital ! D'ailleurs, la plupart des crèches la pratiquent depuis une dizaine d'années. Rien n'est plus insécurisant, pour un enfant, que de passer directement du cocon familial à la crèche ou à la nounou. Vous devrez peut-être sacrifier quelques jours de vacances pour l'habituer progressivement à ces nouvelles têtes et à ces lieux qui lui sont étrangers. Mais que pèsent ces quelques jours, à côté d'une adaptation réussie ? Ces petits moments de plus en plus longs, étalés sur une à deux semaines, pendant lesquels vous vous rendrez avec lui à la crèche ou chez sa nounou, constituent une étape fondamentale, pour lui, mais aussi pour vous ! Or, vous l'avez déjà entendu plus d'une fois : une maman sereine a toutes les chances d'avoir un bébé rassuré !

• **Prévenez-le !** Quelques jours avant le jour J, c'est le moment de lui annoncer que votre vie va changer. Il faut prendre le temps de lui dire que vous allez au travail et qu'il va être gardé à la crèche, que Nadine (sa référente à la crèche ou sa «tata») va s'occuper de lui et que vous reviendrez le chercher le soir. Même s'il ne parle pas encore, c'est important qu'il commence à intégrer cette idée, qu'il se familiarise avec les mots «crèche», « nounou», « Nadine», etc., et à y penser à sa manière.

• **Vous avez trouvé à la dernière minute ?** C'est le moment de mobiliser toute la famille ! Pour adoucir la transition, il est important que les deux parents s'impliquent, l'un, pour commencer un peu plus tard, l'autre, pour finir un peu plus tôt, au moins pendant une semaine et le plus longtemps possible. Une heure de moins par jour, c'est beaucoup pour votre bébé ! N'hésitez pas à vous faire aider par ses mamies ou une baby-sitter que votre enfant connaît et qui le ramènera plus tôt chez lui. Même si vous n'êtes pas encore rentrée du bureau, il retrouvera avec plaisir son univers connu et l'odeur familière de la maison.

⇨ Une épreuve difficile... pour les mamans

Il est parfois difficile pour les mamans de se séparer de leur enfant, lorsqu'elles reprennent le chemin du travail. Vous avez certainement entendu mille fois que votre bébé avait des antennes pour capter la moindre de vos émotions et que, si vous êtes triste, il le sera aussi... Mais être sereine ne se décrète pas ! Cependant, si vous l'avez bien préparé à cette séparation, vous constaterez souvent, en restant quelques minutes derrière la porte, que les pleurs de votre bébé s'estompent rapidement dès que vous avez le dos tourné.

Votre code de conduite des premiers jours ? Ne partez pas en cachette, mais ne vous éternisez pas sur les lieux, surtout s'il ne pleure pas ! Des mots doux, un câlin et la promesse que vous reviendrez le chercher, le soir, suffisent. Inutile de sombrer dans le psychodrame !

⇨ Pourquoi pas la garde partagée?

Avez-vous pensé à la garde partagée? La formule a aujourd'hui le vent en poupe et vient de se doter d'un cadre juridique. Le principe: deux familles utilisent les services d'une même employée qui garde les enfants, tantôt chez l'une, tantôt chez l'autre. L'avantage, outre le coût financier? Il offre un univers sécurisant, à votre enfant, doublé, pour les plus grands, d'un début de socialisation. Bouche à oreille, petites annonces... En faisant fonctionner votre réseau ou en vous adressant à des agences de baby-sitting, vous avez toutes les chances de trouver une famille prête à partager sa supernounou!

▨ Il va avoir une petite sœur

Pour vous, c'est la joie! Pour lui... c'est moins sûr. Ce qui est certain, en tout cas, c'est que cette petite sœur, il n'a pas choisi de l'avoir! Pour votre enfant, cet événement est nouveau et déroutant. Il sent qu'il va devoir partager votre affection, alors même que la nouvelle venue n'est pas encore là. Il peut aussi avoir le sentiment qu'il ne suffisait pas à votre bonheur. Il est donc inévitable qu'il éprouve une certaine anxiété et de la jalousie.

Trop petit pour être jaloux ? Certainement pas ! Selon le psychiatre Henri Wallon, le sentiment de jalousie existe dès l'âge de neuf mois, lorsque l'enfant se différencie de sa mère et atteint le statut psychologique de « sujet ». Coup de chance, des spécialistes des relations fraternelles avancent également que, si l'aîné est âgé de moins de deux ans, la jalousie peut avoir sur lui un effet organisateur puisqu'elle l'aide dans sa différenciation de l'autre. Cette étape marquerait ainsi le début des relations sociales... Plutôt positif, non ?

Sentiment réactionnel naturel, la jalousie peut cependant se traduire par des comportements agressifs ou régressifs. L'attitude que vous adopterez est donc déterminante dans la manière dont votre enfant va vivre cette période.

Le plus important ? Maintenir le plus possible une continuité entre la vie avant et après la petite sœur. Il est fondamental, dans ces moments, de ne pas marquer de ruptures.

⇨ Avant l'arrivée du bébé

Certes, il est plus difficile à la maman de continuer à le porter en fin de grossesse, mais rien n'empêche les câlins sur les genoux, en lui faisant sentir ou toucher le bébé... Mais pas à chaque fois ! Pour l'instant, il peut encore profiter de vous tout seul et le câlin ne doit pas forcément être associé à la découverte du nouveau bébé! Son papa peut aussi prendre le relais et s'arranger pour être plus présent auprès de lui, votre enfant en sera sans doute très fier.

Quand lui annoncer la nouvelle? De nombreux témoignages de mères et de psys montrent, une fois de plus, que les bébés ont parfois des antennes pour deviner nos secrets. Certains enfants «sentent», bien avant qu'on le leur dise, que quelque chose se trame sur l'échiquier familial et qu'ils ne sont plus l'unique objet d'attention de leur maman... Le mieux est donc de lui expliquer, sans trop attendre, avec des mots simples et sans entrer dans les détails, qu'un bébé grandit dans le ventre de sa maman. Mais pas non plus trop tôt, sinon il risque de trouver les mois à venir fort longs! S'il semble s'en désintéresser totalement, n'insistez pas: il a bien le droit de se protéger! Inutile également de lui répéter avec ravissement: «Tu vas avoir une petite sœur...», ce qui ne signifie pas grand-chose pour votre enfant. Pour lui, ce n'est pas forcément un «cadeau»! En revanche, lui dire: «Tu vas être un grand frère!» permet souvent à l'enfant de réaliser qu'il accède à un nouveau statut très valorisant. Cependant, ne vous culpabilisez pas si, malgré toutes vos précautions, il est un peu perturbé par cette naissance. Bien sûr, vous devez en tenir compte et l'entourer de près. Agrandir la fratrie fait partie du mouvement naturel d'une famille. Plus tard, cette petite sœur ou ce petit frère pourra se révéler, pour lui, un compagnon parfois très envahissant, mais dont il aura du mal à se passer !

⇨ Après la naissance

Pour votre grand, ce bébé est toujours un intrus qui arrive « en plus », en bouleversant son petit univers. Il craint donc d'en avoir « moins » : moins d'amour, moins d'attention, moins de maman... Le jour de la naissance, pour fêter l'arrivée du « nouveau » bébé, vous pouvez lui offrir un cadeau et suggérer aux membres de votre famille, avec lesquels vous vous sentez à l'aise, d'en faire autant. Ainsi, il ne se sentira pas mis à l'écart.

Toujours dans la même idée de continuité, évitez de donner, dès la naissance, la chambre du « grand » au nouveau-né, même si c'est pour l'installer dans une pièce plus agréable, selon vos propres critères. Idem pour son petit lit ! Peut-être qu'il n'a pas du tout envie d'échanger son lit de bébé à barreaux et sa toute petite chambre, où il était si proche de vous, contre un grand lit et une pièce à l'autre bout du couloir ! Le mieux est donc de planifier ces petits déménagements et de laisser à l'aîné le temps de s'habituer à ses nouveaux lieux et objets, avant que l'«intrus» ne soit là. Vous empêcherez ainsi qu'il ait le sentiment d'être évincé par le bébé. Évitez également tout changement radical dans sa vie, durant cette période : entrée dans une nouvelle crèche, déménagement… Il a besoin de ses repères. Bien sûr, il a l'air très grand, à côté de sa sœur miniature… Mais il est encore petit, lui aussi !

■ Nous traversons des moments difficiles

Divorce, hospitalisation, maladie d'un parent… Il est des séparations d'autant plus difficiles à vivre qu'elles sont imposées par des circonstances pénibles. À l'inverse de celles que nous avons évoquées précédemment, ce ne sont pas, à priori, des séparations constructives. Alors que le sevrage, l'arrivée d'un petit frère ou d'une petite sœur, ou une entrée en crèche sont bénéfiques, lorsqu'elles sont bien accompagnées, les séparations brutales et subies ne suivent pas le sens normal de la vie. Elles sont de l'ordre de la rupture, de l'accident.

Le réflexe le plus fréquent ? «Je n'en parle pas, il est trop petit pour comprendre.» Vous voulez le protéger, c'est normal. Mais en agissant ainsi, vous ne le sécurisez pas, bien au contraire. Se taire ne sert qu'à le préserver temporairement. Plus tard, il va se rendre compte de la vérité. Il devra alors l'affronter, en même temps qu'il réalisera que vous lui avez menti et ce mensonge entamera la confiance qu'il a en vous.

De plus, votre difficulté à lui parler n'est peut-être pas uniquement causée par le désir de le protéger. Il n'est pas impossible que vous ayez du mal à accepter ce qui se passe. Le déni est très souvent une façon de se défendre en espérant que la situation va s'arranger… Ce qui est bien sûr possible. Mais jusqu'à quand pouvez-vous attendre ?

⇨ **Vous divorcez**

Quelques jours d'absence, une semaine, c'est très long à l'échelle d'un tout-petit ! Si vous vous séparez et que l'un des parents est moins présent, vous pouvez dire à votre bébé : « Tu as remarqué qu'il (elle) n'est pas là en ce moment. Mais il (elle) pense à toi et va revenir te voir quand il (elle) le pourra. » Évitez, en revanche, de lui répéter que le parent absent est « au travail » ou « en voyage ». Il est également important de dire au bébé qu'il n'est pour rien dans cette situation, et de maintenir un lien entre lui et votre conjoint, même si vous avez toutes les raisons d'être très en colère. En attendant que la question de la garde soit organisée sur le plan juridique, vous pouvez par exemple vous arranger pour qu'il aille chercher votre enfant, un ou deux soirs par semaine, à la crèche, et le ramène à votre domicile après une petite promenade. Vous pouvez aussi laisser régulièrement votre ex-conjoint passer un après-midi, chez vous, avec votre bébé. Vous en profiterez pour sortir et vous changer les idées. Inutile de broyer du noir : ce que vous faites est excellent pour votre tout-petit et c'est pour son bien que vous agissez. Ainsi rassuré, il sera plus serein et vos tête-à-tête n'en seront que plus agréables.

⇨ Un de ses parents est hospitalisé ou très malade

Dans la mesure du possible, essayez de vous arranger pour que l'enfant voie le parent malade, même un court moment, régulièrement, ne serait-ce que dans une salle d'attente de l'hôpital, si les visites dans les chambres sont interdites aux enfants. Vous craignez qu'il ne soit impressionné par le matériel médical, perfusions et autres tubes ? Un enfant de moins de deux ans sera souvent moins effrayé qu'un plus grand. Surtout si vous lui expliquez calmement : « Tu vois, maman (ou papa) est là. Ça, c'est un petit tube pour aider à respirer. Les petites lumières, c'est pour regarder battre son cœur. » Ce qui est effrayant ou angoissant pour les adultes ne l'est pas forcément pour les bébés.

Lorsque la maladie est très grave et l'issue incertaine, il est souvent difficile à l'adulte de mettre des mots sur ses propres angoisses. On peut se contenter de dire au bébé qu'«il, ou elle, est malade», sans pour autant évoquer devant lui une possible issue fatale. Lui parler, oui, tout lui dire et l'angoisser inutilement, non!

Le plus important est que votre enfant s'aperçoive que vous encaissez l'événement sans vous effondrer. Le bébé est en effet très réceptif à tout état de panique ou de dépression de ses parents.

Si c'est le cas, même si c'est très difficile, il est capital que vous soyez solide devant lui, quitte à vous faire aider par un soutien psychologique. Essayez d'aménager au mieux la vie de l'enfant, sans hésiter à faire appel à toutes les bonnes volontés: ses grand-mères, vos amies qu'il aime bien...

Dans ce cas, comme dans tous les changements imposés par l'extérieur, il est très important d'assurer la continuité de sa vie, sans trop chambouler ses autres repères et en multipliant les moyens classiques de sécurisation. Fort heureusement, on peut très bien affronter les difficiles épreuves de la vie et refaire surface. Bien sûr, on ne les lui souhaite pas. Mais un enfant bien entouré, qui aura traversé avec succès des difficultés, aura sans doute plus de force qu'un autre pour en affronter de nouvelles plus tard. Il aura déjà vécu une situation difficile et aura acquis de la ressource et une sécurité intérieure solide pour les aborder avec confiance et détermination.

L'essentiel

▓ Les premières épreuves «naturelles» de la vie peuvent être perturbantes pour votre tout-petit. Évitez de les cumuler et préparez votre enfant à les affronter en douceur.

▓ Dans les moments difficiles, il est fondamental de l'entourer et de multiplier les moyens de sécurisation et de rester à son écoute. Vous éviterez ainsi que l'angoisse ne se manifeste plus tard, à l'occasion de nouvelles séparations.

Chapitre 7
Quand les nuits ne sont pas de tout repos

Dormir, ce n'est pas si simple… Votre bébé va devoir apprendre à se séparer de vous, à distinguer la nuit et le jour et à se caler sur vos horaires. Grâce à une bonne compréhension de ce qu'il ressent, quelques habitudes et un zeste de patience, vous éviterez bien des nuits blanches.

▧ Dès que la nuit tombe, il est inconsolable !

Entendre pleurer son enfant est une des premières épreuves de la vie de parents. Ses larmes sont d'autant plus déconcertantes que vous ne savez pas toujours à quoi elles sont dues. Dans quelques semaines, votre oreille commencera peut-être à distinguer les gros chagrins de colère et les pleurnichements de fatigue, des plaintes engendrées par une dent qui perce. En identifiant la cause, vous saurez comment agir... Un grand pas sera franchi.

Cependant, les pleurs des bébés restent parfois bien énigmatiques aux oreilles les plus attentives. Pourquoi, dès que la nuit tombe, «à l'heure où les lions vont boire», certains nouveau-nés semblent-ils pris d'un tel désarroi ? Apparemment, ce phénomène ferait encore partie du mystère des bébés. Cependant, des explications émergent... Et des solutions aussi.

⇨ Coliques, ou trop-plein d'excitation ?

Si votre bébé pleure et se tortille en fin de journée, il a peut-être mal au ventre. Certains pédiatres évoquent en effet l'existence de coliques de fin d'après-midi. Dans ce cas, n'hésitez pas à en parler à votre médecin qui pourra lui prescrire un traitement adapté. Cependant, il est plus probable que ce malaise se situe au carrefour du physique et du psychique.

S'il paraît inquiet dès que la nuit tombe, c'est peut-être parce qu'elle modifie ses repères visuels. Sensible à la luminosité déclinante qui modifie ombres et couleurs, votre tout-petit peut aussi être gêné par la lumière électrique et brutale. Ainsi, certains bébés (et aussi les plus grands !) s'apaisent lorsque l'on tamise l'éclairage.

En fin de journée, votre enfant a souvent eu un emploi du temps bien rempli. Or le seuil d'excitabilité d'un bébé n'est pas le même que celui d'un enfant ou d'un adulte. À travers ses pleurs, il va libérer le surcroît d'excitation qu'il a accumulé durant la journée. C'est son moyen, à lui, de se défouler.

Enfin, la venue de la nuit est également annonciatrice de la séparation nocturne, et votre bébé peut appréhender ce long moment sans vous. Ce qu'il exprime est lié à un déplaisir plutôt qu'à une réelle angoisse ou sentiment d'insécurité.

⇥ Des solutions pour l'apaiser

Que répondre aux parents qui voient la journée avancer en redoutant la crise qui va survenir ? De ne pas se culpabiliser, car ces pleurs qui connaissent souvent un «pic» lors de la sixième semaine du nourrisson sont le plus souvent incontournables.

Au fil des soirs, chaque parent trouve le moyen qui convient le mieux pour apaiser son bébé. Une maman le berce dans un petit couffin ; une autre va le promener ou vaque à ses occupations dans la maison, en le maintenant serré contre elle dans une poche kangourou ; une autre encore lui donne un bain, écoute de la musique en dansant et en chantonnant...

L'idéal ? Se relayer avec le papa, lorsque c'est possible, afin d'éviter que l'impatience et l'agacement ne vous gagnent. Votre bébé ne manquerait pas de le ressentir et cela ne ferait qu'entretenir son angoisse... Vers deux-trois mois, ces pleurs systématiques du soir vont progressivement disparaître, en même temps que votre bébé s'ouvre sur le monde. Il n'en deviendra pas silencieux pour autant. Il pleurera... mais pour d'autres raisons.

▣ Comment l'aider à s'endormir ?

Dans les premières semaines qui suivent sa naissance, votre bébé ne perd pas ses bonnes vieilles habitudes de fœtus : il continue à dormir, entre seize et vingt heures par jour... Hélas, pas forcément réparties comme vous le souhaiteriez ! Comment l'aider à s'endormir ? D'abord en l'aidant à trouver ses repères. L'idéal serait d'intervenir le moins possible, durant les premiers mois, et de le laisser suivre ses rythmes et ses envies. Inutile de le réveiller s'il dort à l'heure de la tétée ou de prolonger les biberons nocturnes par des câlins et gazouillis. La nuit, c'est fait pour dormir !

⇨ Mettre en place des repères

Pour l'aider à prendre conscience de l'alternance jour/nuit, vous pouvez mettre en place des balises qui l'aideront à trouver le sommeil. Dans la journée, il est par exemple inutile de faire dormir votre bébé dans une pièce aux volets fermés, tout comme il ne sert à rien de lui laisser, la nuit, une petite lumière dans sa chambre. À cet âge, il n'a pas peur du noir. S'il pleure, le problème est ailleurs.

Ce qu'il faut savoir, c'est que les cycles du sommeil de votre tout-petit sont plus courts que les vôtres et que son sommeil est encore mal structuré. À chaque fois qu'il passe d'un cycle à un autre, il peut se réveiller : il babille, reste tranquillement les yeux ouverts ou pleure un peu ? C'est normal. Il ne sert à rien de se précipiter à la première larme. Attendez quelques minutes, il a de fortes chances de se rendormir.

De nombreux enfants adoptent spontanément le rythme de la vie de la famille aux alentours de cinq mois, mais d'autres ont besoin d'un peu plus de temps et d'aide pour se caler, surtout s'ils étaient de petit poids à la naissance. La plupart des spécialistes estiment qu'autour de sept mois, votre tout-petit devrait faire ses nuits. Au-delà, il peut être intéressant de s'interroger sur les raisons de ce sommeil agité.

Or, c'est justement à partir de six mois que peuvent se poser les problèmes d'endormissement. Bébé se frotte les yeux, devient grognon... Il est temps de le coucher. Mais une fois dans son lit, il hurle !

⇨ Les questions à se poser

• **Est-ce le bon moment ?** Est-il vraiment fatigué ou n'avez-vous pas plutôt envie de dîner tranquillement, de regarder le journal télévisé ou de vous plonger dans un bon roman ? Bien sûr, ces envies sont légitimes. Cependant, vous risquez de ne pas profiter à fond de ces instants de détente, ce qui risque fort de vous exaspérer. Si votre bébé s'est réveillé de sa longue sieste à 16 heures ou si c'est un «couche-tard», il est également compréhensible qu'il n'ait pas envie d'aller au lit à 20 heures. Pour vous, comme pour lui, cela vaut la peine de patienter une petite heure pour qu'il prenne, sans protester, le train du sommeil.

• **Est-il «équipé» pour supporter cette séparation ?** À partir de six mois, doudou, pouce et tétine prennent toute leur importance. Tout ce qui peut être suçoté est très apaisant pour votre bébé et lui permet d'affronter ces petits moments de solitude sans vous.

• **Avez-vous respecté le fameux rituel d'endormissement?**
Tous les soirs, quel que soit son âge, quand l'heure du
coucher approche, vous pouvez avertir votre enfant:
«Dans un quart d'heure, tu vas aller faire dodo», « Plus
que cinq minutes, et hop! au lit!». Ainsi, il aura le temps
de se faire à cette idée et il va apprendre à reconnaître
très vite les mots «lit», « se coucher», « dodo», etc.
Une fois l'heure arrivée, vous pouvez le coucher avec
ses objets sécurisants et procéder au petit rituel familial:
une chanson, un gros câlin, la boîte à musique, bercement... Cela doit rester un moment de plaisir, pour vous
et pour lui, sans pour autant s'éterniser et devenir envahissant. Ensuite, il est important de quitter la chambre
sans attendre qu'il s'endorme.

⇨ **L'importance de s'endormir seul**
Vous avez pris l'habitude de le garder dans vos bras ou
de rester près de lui jusqu'à ce qu'il dorme, parce qu'il
semble inquiet dès que vous passez le seuil de la porte?
Vous risquez d'entretenir son anxiété. Vous l'empêchez
en effet d'affronter, par lui-même, l'inévitable solitude
de la nuit. S'il se réveille à 2 heures du matin, il risque
d'être surpris par votre absence (puisqu'il ne vous aura
pas vue partir) et sera incapable de se rendormir seul.
Sa seule solution sera de vous rappeler près de lui!

En revanche, en quittant la pièce avant qu'il ne sombre dans le sommeil, vous lui montrez que vous êtes parfaitement capables, tous les deux, de vous séparer pour la nuit et que vous ne craignez pas de le laisser seul dans son univers familier.

Il pleure vigoureusement? Avant tout, vérifiez que rien ne le gêne et qu'il n'est pas souffrant. Ensuite, avant de retourner dans sa chambre, patientez cinq minutes, comme le conseillent de nombreux spécialistes du sommeil, pour lui confirmer calmement: «Maintenant tu dois dormir.» Si les pleurs continuent, attendez le double de temps (cela paraît souvent très long!) pour réapparaître. La troisième fois, passez à vingt minutes et, cela, jusqu'à ce qu'il s'endorme... sans toutefois dépasser cette durée.

Mais ce qui se révèle souvent efficace, c'est que le père prenne le relais et explique fermement à votre enfant que «maintenant c'est l'heure de dormir». En général, quand tout le monde est d'accord et qu'il n'y a pas d'ambivalence sur le sujet, la situation se règle en quelques nuits. Pas question, en tout cas, d'utiliser des somnifères. Outre les problèmes de dépendance, faire croire à un enfant qu'on règle ses difficultés avec un médicament n'est certainement pas une bonne solution.

⇨ Des massages bénéfiques

Enfin, des chercheurs israéliens ont eu récemment l'idée de masser chaque jour, durant trente minutes, une vingtaine de bébés, dès l'âge de dix jours, et pendant deux semaines. Ils ont constaté que ces enfants sont mieux adaptés au cycle jour/nuit que les autres, et que leurs rythmes biologiques sont davantage calés sur ceux de leur mère. Alors, quelques gouttes d'huile d'amande douce ou de germe de blé, un peu de musique... Si l'art du massage vous tente, mais qu'une demi-heure vous semble trop long, rien ne vous empêche d'essayer, ne serait-ce que quelques minutes ! L'essentiel est que vous y trouviez tous les deux du plaisir.

▦ Peut-il dormir avec nous ?

La question de la présence de l'enfant dans le lit conjugal est régulièrement soulevée. Du côté de la tendance des «pourquoi pas ?», les arguments, à première vue, ont de quoi séduire : dormir avec ses enfants se pratiquait, il n'y a pas si longtemps, dans nos campagnes, et est encore très répandu dans de nombreux pays. La formule évite, en apparence, des angoisses au bébé et des réveils nocturnes aux parents qui sont effectivement plus reposés.

«Après tout, est-ce bien dramatique de dormir avec mon bébé?» demandent les parents. Que répondre à cela, quitte à paraître rigide? Tout simplement que lorsqu'un enfant rencontre des problèmes psychologiques (grandes difficultés à se séparer, angoisses…), à l'âge de la crèche, l'entretien avec les parents révèle, dans une grande majorité des cas, qu'il dort toute ou une partie de la nuit dans leur lit. Or, l'expérience montre que partager sa couette avec son enfant ne se résume pas à dormir, bien au chaud, dans un grand lit douillet. Dormir ensemble revêt, dans notre culture, une valeur symbolique importante. D'autant que, le plus souvent, l'un des parents finit par «craquer» et termine sa nuit dans le canapé, ce qui peut entraîner chez l'enfant, après quinze-seize mois, un sentiment d'inquiétude ambivalente, mêlé à une impression de toute-puissance: «Où est papa? Ai-je le droit de le chasser?»

La situation est encore plus complexe dans le cas des mères seules qui se trouvent dans l'obligation d'évincer l'enfant du lit «familial», lorsqu'un nouveau compagnon arrive dans leur vie, ce qui est déjà loin d'être simple!

Ne pas se séparer de son enfant, pour la nuit, ne fait que reporter le problème à plus tard, puisqu'il aura été conforté dans l'idée que la nuit est dangereuse.

Cependant, avant six ou huit mois, un berceau dans la chambre de ses parents est loin d'être dramatique et peut être une solution très adaptée aux besoins de toute la famille. Ensuite, autour de six mois, il pourra parfaitement élire domicile dans sa propre chambre ou dans un espace séparé, bien à lui. L'important est aussi que vous vous sentiez à l'aise avec la solution que vous avez choisie.

La nuit et ses angoisses

Terreur nocturne ou cauchemar? Pas toujours facile de s'y retrouver, lorsque l'enfant est trop petit pour mettre des mots sur ses émotions. Traditionnellement, les spécialistes différencient les cauchemars et les terreurs nocturnes. Les premiers, qui appartiennent à la famille des rêves, trouvent leur origine dans le sommeil paradoxal et surviennent le plus souvent en fin de nuit. En revanche, les secondes, pauvres en contenu, sont des manifestations psychocorporelles qui apparaissent dans le sommeil lent et profond, dans les trois premières heures qui suivent l'endormissement.

⇨ Il a des terreurs nocturnes

À quel âge se produisent les terreurs nocturnes? La période «critique» semble se situer entre dix-huit mois et cinq ans, mais certains spécialistes avancent qu'elles peuvent apparaître dès que les cycles du sommeil de l'enfant ressemblent à celui de l'adulte, c'est-à-dire autour du sixième mois.

• **Comment les identifier?** Elles surgissent en général au début de la nuit, lorsque votre enfant est profondément endormi, ce qui explique que, le lendemain, il n'en ait aucun souvenir.

Les manifestations sont souvent impressionnantes et peuvent, dans les cas extrêmes, donner l'impression d'une véritable panique. Les battements de cœur de votre enfant sont accélérés, il transpire, sa respiration est rapide, il pousse des hurlements, est prostré, ses gestes sont saccadés... Vous lui parlez? Il ne vous reconnaît pas. Il peut répéter un mot, montrer du doigt une chose imaginaire et votre présence peut l'affoler encore davantage. Dans la plupart des cas, vous n'arrivez pas à le calmer, tant il semble en proie à des tourments intérieurs et à une extrême confusion. Lorsqu'il se rendort, au bout de quelques minutes, il reprend naturellement son cycle de sommeil, comme si rien ne s'était passé.

• **Quelle attitude adopter?** S'il se rendort, il est inutile de le réveiller. Cependant, si la situation s'éternise au-delà de quelques minutes et que l'enfant manifeste des signes de souffrance, il est conseillé d'intervenir. Dès qu'il s'éveille, il se calme et ne se souvient de rien. Le plus souvent, il va se rendormir rapidement.

• **Que faire si elles se reproduisent?** Les terreurs nocturnes surviennent à des périodes sensibles et lorsque l'enfant fait de grandes acquisitions. Mais, la plupart du temps, on ne peut pas les relier à un événement particulier. Votre enfant manifeste à travers ses terreurs nocturnes un trop-plein d'émotions et est débordé par ses pulsions durant la nuit. Ces incidents n'ont pas de conséquences sur son comportement et il peut être tout à fait calme durant la journée. Cependant, si elles se reproduisent, il y a lieu de vous interroger: votre enfant est-il soumis à trop de pressions? Lui en demandez-vous trop pour son âge? Il est important de garder en mémoire que chaque enfant se développe à son propre rythme, qu'il faut respecter. Il est inutile de vouloir lui faire sauter des étapes!

⇨ C'est peut-être un petit cauchemar ?

Votre bébé se réveille d'un bond, ouvre les yeux, paraît inquiet, pleure et vous réclame… C'est un cauchemar.

Il est difficile de savoir si les enfants ont des rêves d'angoisse avant de pouvoir les raconter. Tout dépend de leur âge, mais, pour rêver, ils doivent être capables d'une activité véritablement symbolique, par exemple lorsqu'ils commencent à jouer.

Bien qu'il soit effrayé, votre enfant qui s'éveille d'un cauchemar ne présente pas, ou peu, de manifestations corporelles. Il vous reconnaît, cherche à être rassuré… Contrairement aux terreurs nocturnes, l'enfant peut même se souvenir de ses cauchemars et ainsi développer une crainte liée au sommeil : il a peur de se rendormir, a du mal à se coucher, ne veut pas rester seul dans son lit…

• **Que faire s'ils se reproduisent ?** La meilleure solution est de le recoucher, de le rassurer, de lui changer sa couche et son pyjama s'il a transpiré, ce qui lui permettra de repartir paisiblement accomplir la deuxième partie de sa nuit. En revanche, ne l'autorisez pas à s'installer dans votre lit, sous prétexte qu'il a fait un cauchemar. En le prenant avec vous, vous accréditez l'idée que son rêve est dangereux. Il pourrait bien avoir tendance à user de ce moyen pour y revenir.

En «prévention», vous pouvez lui raconter, de préférence dans la journée, des histoires qui lui permettent d'apprivoiser ses peurs, et de rire des sorcières, crocodiles et autres monstres cachés dans son placard!

Dans tous les cas, si les terreurs nocturnes et cauchemars venaient à se répéter très souvent et de manière intense, n'hésitez pas à consulter un spécialiste. Cela vaut d'autant plus la peine que ce type de problèmes se règlent en général très rapidement.

L'essentiel

■ La nuit est annonciatrice de la longue séparation nocturne. Pas étonnant que votre tout-petit n'aime pas forcément ce moment!

■ En l'accompagnant vers le sommeil et en mettant en place un petit rituel rassurant, vous lui permettrez de se séparer de vous sans angoisse.

■ Vous vous interrogez sur la place de bébé dans votre lit? Sa place est dans le sien. Jusqu'à six-huit mois, son berceau peut, bien sûr, être installé à côté de vous.

Au-delà, il est préférable de l'installer dans sa chambre ou, au moins, de lui réserver un petit coin bien à lui.

Terreurs nocturnes et cauchemars peuvent survenir chez les enfants les plus équilibrés! En les distinguant, vous serez parfaitement capable de rassurer au mieux votre tout-petit.

Chapitre 8
Le monde extérieur l'impressionne

Il semble terrorisé à la vue d'une mouche, se cramponne à vous lorsqu'il croise un Père Noël dans un grand magasin, se laisse chiper sa pelle par les autres enfants du bac à sable... Votre bébé serait-il craintif?

Paradoxalement, le tout-petit, avant six mois, est moins impressionné par le monde extérieur qu'un «grand» de neuf ou dix-huit mois. La raison? Plus votre bébé se sent différencié de sa mère et de son univers, plus le monde extérieur lui paraît inquiétant. Pour l'aider à mettre en place sa sécurité intérieure, il est donc important de le rassurer et de le protéger. Sans pour autant lui communiquer le sentiment que le monde extérieur fourmille de dangers et de pièges...

Bien sûr, l'attitude que vous adopterez dépend de votre vision personnelle du monde extérieur. Chaque parent possède son propre seuil de tolérance, qui lui permet d'établir ce qui est bon ou «supportable» pour son bébé. Certains amèneront sans état d'âme leur tout-petit effectuer avec eux un petit trajet en métro, alors que d'autres frémissent à la seule idée que leur enfant puisse être confronté aux bruits et aux odeurs souterrains... quitte à passer un long moment dans l'atmosphère confinée d'une voiture! Il est donc important de vous fier à votre instinct, sous réserve, évidemment, que votre comportement ne mette pas votre bébé en danger.

Cependant, chaque enfant ne montre pas le même degré de sensibilité au monde extérieur. Certains sont plus «réactifs» que d'autres, ce qui n'est ni un bon ni un mauvais signe. Votre bébé a des peurs, c'est tout à fait normal. Elles sont même nécessaires à la vie, puisqu'elles le préservent du danger! Mais, avant deux ans, pas question de dire ou de laisser dire qu'il est «peureux».

▥ Les bruits du dehors

Bruits de freins, travaux, klaxons, aboiements, orage... Nous identifions ces bruits, et, en deçà d'un certain niveau de décibels, nous n'y accordons pas trop d'attention. Or, votre bébé manifeste de l'inquiétude en entendant des sons dont il ne perçoit pas l'origine. Jusqu'à trois mois, il réagit principalement aux bruits forts et soudains. En leur absence, il ne se préoccupe guère des bruits du monde. Ce n'est pas le cas des plus grands.

⇨ Que faire s'il est inquiet?

Le plus important est de le rassurer et de l'aider à relier le bruit à sa cause : «Regarde, c'est la moto qui a fait du bruit en démarrant», « C'est la pelleteuse jaune qui prend de la terre pour construire une maison»…Très vite, cette découverte peut devenir un jeu, à tel point que certains enfants manifestent ensuite un grand plaisir à voir fonctionner ces grosses machines qui font «boum!». Ils ont bien compris qu'elles font un peu peur, mais qu'elles ne sont pas dangereuses.

Avant deux ans, votre bébé est encore en plein éveil sensoriel. La maturation des voies auditives n'est pas encore achevée. L'exposition répétée et prolongée au bruit peut avoir un effet sur sa nervosité, son agitation, et, bien sûr, son audition. Autrement dit, attendez un peu avant d'amener votre petit dernier assister au feu d'artifice du 14 Juillet. Vous profiterez tous mieux du spectacle d'ici un an ou deux!

▒ Petites et grosses bêtes

Votre bébé panique à la vue d'une fourmi? Se réfugie vers vous en présence d'un caniche? Non, il n'est pas «phobique», même si cela y ressemble. Une phobie ne se met pas en place à l'âge de deux ans. La structure psychologique du tout-petit ne le permet pas. Cependant, il a déjà des petites manies!

Au fil des mois et des semaines, votre bébé s'habitue au monde extérieur. Il s'accoutume à voir des miettes sur la table mais ignore tout des fourmis. Et, tout à coup, ce qu'il prend pour de petites miettes noires se déplace dans tous les sens! Alors que les peluches sont d'ordinaire immobiles sur son lit, voilà qu'une drôle de boule de poils avance vers lui, totalement hors de contrôle! Ces petites bêtes dérangent l'ordre établi et perturbent votre bébé. Il a peur de l'inconnu, ce qui est tout à fait normal.

N'oubliez pas que votre enfant est aussi un observateur très attentif. Peut-être vous a-t-il vus écraser une fourmi ou entendus pester contre les mouches? Il n'est donc pas étonnant qu'il les prenne pour des créatures nuisibles.

Vers deux ans, il arrive également que l'enfant soit effrayé par les chiens (pas seulement lorsqu'ils sont grands ou menaçants), qu'il côtoyait jusqu'alors sans problème. Il se sent brusquement menacé par ces êtres si différents de lui.

⇨ **Que faut-il faire ?**

Pour le rassurer, vous pouvez lui raconter une histoire sur la petite fourmi : «Tu vois, elle a beaucoup de travail, elle court dans tous les sens et, après, elle va rentrer chez elle…» Quant au petit chien, vous pouvez l'observer à distance, tout en lui expliquant son comportement : «Il se secoue parce qu'il est mouillé», «Il aboie parce qu'il entend du bruit»… Vous pouvez l'inviter à le caresser, en restant auprès de lui. Mais il est inutile de le forcer. Il ne faut jamais contraindre un enfant à caresser un chien qui lui fait peur, au risque de renforcer sa crainte.

⇨ **Et si ça dure ?**

Sa peur des chats, des chiens ou de toute autre bête peut devenir un problème, si vous êtes souvent confrontés à ces animaux familiers. Pour l'habituer progressivement à leur contact, vous pouvez vous inspirer des thérapies comportementales utilisées pour les adultes : offrir à votre enfant un toutou en peluche peut l'aider à apprivoiser sa peur des chiens. La littérature enfantine regorge également d'histoires de petits héros animaux qui le familiariseront avec ces drôles de bestioles.

Il a peur des clowns et du Père Noël

Lors de la fête de Noël organisée par l'entreprise dans laquelle travaille son père, Maxime, quinze mois, d'habitude si souriant, s'est surtout fait remarquer par ses pleurs! Il s'est d'abord cramponné au cou de sa mère, lorsque le Père Noël a tenté de lui remettre son cadeau... Même tableau, une heure plus tard, lors du spectacle de clowns qui concluait la fête. Pourquoi Maxime se montre-t-il si craintif devant ces personnages inoffensifs que tous les enfants sont censés adorer?

Maxime est loin d'être un cas isolé. Les enfants de moins de trois ans sont nombreux à craindre ces drôles de personnages que sont les clowns et le Père Noël. Et cette attitude surprend et peut décevoir leurs parents qui se faisaient une joie de leur présenter ces personnages si intimement liés au monde de l'enfance: «Il n'est jamais content ou quoi?»

⇥ Pourquoi est-il effrayé?

D'abord parce qu'à son âge, votre bébé n'apprécie guère la nouveauté, surtout lorsqu'elle se présente sous des traits aussi étranges.

Votre tout-petit, très sensible à son environnement, est également une véritable éponge sensorielle. Des travaux ont montré que l'enfant est, très tôt, extrêmement sensible aux expressions des grandes personnes, Or, les masques et les grimages perturbent ses repères. Il est déstabilisé par les grimaces outrancières des clowns et par les traits de leur visage si mobiles. Il peut aussi être impressionné par la grande barbe et les sourcils hirsutes qui masquent l'expression du Père Noël.

Ces personnages arborent également des couleurs très vives. Le costume tout rouge de l'un et la mosaïque bigarrée de l'autre constituent un choc visuel que vient renforcer la voix tonitruante du clown («Alors, les petits enfants, ça va, ça va, ça va?»), ou la voix grave du Père Noël. Votre enfant était ravi d'aller au «pestacle» dont vous aviez parlé ensemble? La mise en scène, les roulements de tambour, l'obscurité et le public d'enfants plus grands que lui criant et applaudissant ont sans doute contribué à sa frayeur. Pour le moment, ces personnages lui apparaissent trop grimaçants, trop colorés, trop bruyants... Bref, trop bizarres!

⇨ Que faut-il faire?

Il assiste au spectacle du clown qui lui arrache tant de larmes? Expliquez-lui: «C'est un monsieur déguisé, il a mis un grand vêtement et de grandes chaussures pour faire rigolo...»

Plus tard, vous pourrez également acheter un petit nez rouge, jouer ensemble à le mettre et à l'enlever, et confectionner un déguisement pour lui montrer comment il peut, lui aussi, changer d'aspect. Quant au Père Noël, s'il en a peur, il attendra un peu avant de faire la photo... Son appréhension disparaîtra autour de trois-quatre ans, qui est également le bon âge pour commencer à aller au cirque, apprécier les clowns, bien en sécurité sur les genoux de ses parents, et guetter avec impatience la venue du Père Noël.

Il est timide avec les autres

Il joue seul, dans un coin du bac à sable, n'ose pas récupérer la pelle qu'un enfant du même âge lui a subtilisée... Serait-il asocial ? Une précision s'impose : contrairement à ce que croient souvent les parents, ce n'est pas parce que le bébé est gardé à l'extérieur qu'il est sociabilisé. Certes, il est en marche vers la socialisation, ce qui veut dire que, peu à peu, il intériorise les divers éléments de la culture environnante (valeurs, règles de conduite, normes...). Mais cela ne signifie pas qu'avant deux ans votre bébé va jouer avec les autres. De récentes études ont montré qu'à cet âge, les interactions entre les enfants existent, mais, le plus souvent, jouer ensemble se limite à s'amuser côte à côte. Il faudra attendre ses deux ans et demi, voire trois ans, pour que se mette en place un véritable échange.

Paradoxalement, on remarque que plus le bébé prend conscience de sa différenciation avec les autres, plus il va être en retrait. Autrement dit, s'il semble se méfier des personnes qu'il ne connaît pas et ne s'installe pas d'emblée sur les genoux d'un inconnu, il peut s'agir davantage d'un signe de maturité que de timidité... Et aussi d'une question de tempérament. Mais cela ne veut pas dire qu'il deviendra plus sociable, ouvert ou combatif ou qu'il sera plus liant avec ses petits copains.

⇨ Que faut-il faire?

Si vous avez l'impression qu'il craint les autres, c'est peut-être parce qu'il a eu une expérience un peu difficile avec certains enfants. Pour le rassurer, vous pouvez essayer de l'installer près d'un autre bébé, calme, qu'il ne percevra pas comme un agresseur potentiel. En revanche, pas question de lui faire fréquenter un «petit dur» du même âge, dans l'espoir de lui apprendre à se défendre! Si votre enfant vous semble «timide» ou craintif, il est possible que vous ayez une tendance à le surprotéger pour lui éviter d'être la proie des petits dragons du square.

Si votre enfant est déjà réservé, votre attitude (bien compréhensible !) risque de le paralyser encore plus.

Par ailleurs, les parents des petits garçons sont (encore aujourd'hui !) souvent plus angoissés lorsque leur enfant semble se tenir légèrement en retrait. Plus ou moins consciemment, ils attendent que leur enfant aille de l'avant sans se poser trop de questions... Certains schémas traditionnels du garçon courageux, fort et combatif ont la vie dure !

Ce qui est important, c'est de l'inciter à aller vers les autres, mais sans le forcer. Il refuse ? Laissez-lui une issue : « Tu ne veux aller jouer avec la petite fille, maintenant ? Alors, attends un peu. Tu pourras y aller un peu plus tard, si tu en as envie. » Pousser son enfant vers les autres, alors qu'il ne le souhaite pas, risquerait de déclencher des manifestations de crainte et le conduire à se cramponner à votre cou, à la prochaine tête nouvelle...

Un peu de patience. Grâce à votre attitude composée d'encouragements et de protection, votre tout-petit, rassuré, ne tardera pas à aller vers les autres.

⇨ **Quelle horreur, il a l'air mal élevé !**

Il refuse un bisou à votre meilleure amie et ne la laisse pas s'approcher de lui ? C'est peut-être parce qu'il devine qu'à son habitude, elle va vous accaparer pendant un moment, durant lequel vous ne serez pas entièrement disponible pour lui ! Certains parents devront ainsi faire le deuil de l'enfant dont ils ont rêvé : sociable, preuve vivante de leur « réussite » et de leur équilibre personnel. Or, un bébé n'est pas une carte de visite !

Le moindre changement le perturbe

Au début de sa vie, votre bébé est un vrai petit casanier, attaché à ses petites habitudes. Pendant sa première année, et parfois au-delà, il ne se sent en sécurité qu'avec ce qu'il connaît : sa maman, sa famille, son lit, sa chambre, sa maison, ses bruits…

Paradoxalement, votre bébé doté d'un imaginaire si riche est donc un petit conformiste. Pour grandir et mettre en place sa sécurité intérieure, il a besoin de régularité. Parfois, des changements très minimes le chagrinent. On a par exemple remarqué que les nourrissons sont très sensibles à l'odeur de leur mère et peuvent se montrer perturbés si elle change de parfum. À priori, votre bébé ne préfère pas la violette à la rose… Simplement, il n'aime pas la nouveauté, c'est tout.

Prenons l'exemple de Milan. À treize mois, ce petit garçon est déjà très éveillé. Sa mère, très présente, s'occupe de lui avec une grande régularité. Tous les jours, ils font une promenade dans le parc parisien des Buttes-Chaumont et passent devant une petite chute d'eau. À chaque fois, à l'approche de la «cascade» (l'un des premiers mots de son vocabulaire), Milan jubile, s'agite dans sa poussette... L'arrêt est bien entendu obligatoire! Cependant, un jour, la pluie contraint sa mère à abréger la promenade, avant d'atteindre la fameuse cascade. C'est le drame! Milan est furieux, il proteste avec vigueur. Le trajet du retour s'effectue sous la pluie battante et les hurlements.

S'agit-il déjà d'un caprice? Pas encore, mais cela pourrait le devenir. Milan, comme tous les bébés pris dans le mouvement de différenciation avec leur mère et leur environnement, aime la régularité. Retrouver les objets familiers au même endroit le rassure. Ne pas les voir peut signifier, pour lui, que les objets (ici la «cascade») disparaissent, et peut le renvoyer à l'angoisse de séparation. Faut-il pour autant vous contraindre à une vie quasi monacale, sous prétexte de sécuriser au maximum votre enfant? Heureusement, non. Si une certaine régularité lui est indispensable, il est en revanche nécessaire de ne pas tomber dans la ritualisation excessive. Certains bébés ne supportent pas de changer de lit pour dormir, refusent de boire dans un autre biberon que le leur, et traversent de véritables crises d'angoisse en l'absence d'un rituel attendu. Tous les objets ne doivent pas devenir des doudous, le seul véritable objet de sécurisation. Il est donc capital d'introduire régulièrement des petites distorsions dans les habitudes de votre bébé. Pour lui, la nouveauté est également intéressante et l'ouvre au monde extérieur.

⇨ Que faire s'il supporte mal la nouveauté?

Il est capital de rester ferme, tout en lui expliquant pourquoi le changement a lieu. Quitte à faire diversion si l'explication ne suffit pas. Vous pouvez par exemple lui dire, sans vous énerver: «Il pleut, nous devons rentrer à la maison, mais en passant par l'autre chemin, tu vas voir les canards. Tu es peut-être très déçu, mais je n'ai pas envie que tu sois tout mouillé, c'est comme ça.»
En revanche, céder reviendrait à laisser la porte ouverte aux caprices et à accentuer le désir de votre bébé de maîtriser les personnes et objets. Une tendance qui lui est déjà naturelle, lorsqu'il se rapproche des deux ans.
Il continue à hurler? Ce n'est pas d'angoisse, mais de déplaisir. Votre bébé est en train d'apprendre qu'il

ne peut pas, tout le temps, tout décider... Ce qui est très bon pour lui. Les psys, à la suite de Freud, ne prétendent-ils pas que «les frustrations sont structurantes»? Comme la vie en réserve de nombreuses, il y a tout lieu de s'en féliciter!

▒ Il a vu ou entendu des choses qui l'ont effrayé

Une grosse dispute conjugale, un incendie, une scène violente à la télévision, un accident de voiture... Le point commun, entre ces éléments? Ils peuvent avoir effrayé votre bébé. Sa peur peut aussi resurgir quelques mois plus tard, alors que vous-mêmes n'y pensiez presque plus.

⇨ Que faire s'il est confronté à un événement traumatique?

S'il montre son inquiétude, s'il paraît paniqué ou hébété, ou, tout simplement, s'il pleure, il est important de le rassurer dès que possible. Prenez-le dans vos bras, murmurez-lui des mots apaisants, bercez-le... Il a besoin que l'on sèche ses larmes. N'hésitez pas, même si l'enfant est petit, à lui parler et à lui expliquer ce qui s'est passé, sans toutefois entrer dans les détails de votre querelle conjugale, dans laquelle il n'a pas à être impliqué.

Cette méthode, proche du débriefing post-traumatique, est utilisée pour les victimes de violences. En rassurant votre enfant et en parlant, vous pourrez mettre des mots sur ses émotions et sur ce que vous avez vécu tous les deux, ce qui vous fera du bien à vous aussi.

⇥ **De possibles séquelles**

Cependant, mettre des mots sur ses émotions n'est pas toujours suffisant et n'empêche pas forcément l'angoisse de resurgir quelques semaines plus tard.

C'est par exemple le cas de Marion. Témoin d'un incendie à dix-neuf mois, elle est immédiatement calmée et rassurée par sa grand-mère. Pour ses deux ans, elle montre pourtant une véritable panique à la vue des bougies de son gâteau d'anniversaire. Heureusement, ses parents ont tout de suite rattaché sa réaction à ce qui l'avait bouleversée quelques mois plus tôt et ont pu de nouveau la rassurer.

Ce n'est pas parce que votre bébé est petit qu'il oublie. Les événements impressionnants qu'il aura vécus avant deux ans peuvent déclencher plus tard des attitudes névrotiques plus ou moins graves. Il est donc important d'être vigilant et de garder en tête les faits qui ont pu se produire durant ses deux premières années.

⤳ Pas d'inquiétude

S'il ne montre aucune inquiétude et si l'événement que vous jugiez traumatisant n'a pas provoqué de réaction, faut-il lui en parler ? À priori, non. Les enfants ne sont pas forcément effrayés par les mêmes choses que nous. Votre bébé sera, par exemple, plus sensible à une scène de violence familiale qu'à un incident extérieur. Une crise de colère démesurée de sa mère sera plus traumatisante que des images de guerre sur le petit écran... Il n'est donc pas utile d'alimenter son imaginaire dans ce domaine ou de le mêler à un drame qui ne le concerne pas.

L'essentiel

▨ Les peurs liées au monde extérieur sont fréquentes, normales, naturelles et même utiles.

▨ La plupart s'atténueront ou disparaîtront, au fur et à mesure que votre bébé apprivoisera le monde extérieur.

▨ Le plus important est de les résoudre en douceur.

Chapitre 9
Son monde imaginaire lui fait peur

Sur le terrain des craintes enfantines, on pense bien sûr à la peur du loup... Mais, chez les tout-petits, le noir, l'eau et le docteur sont parfois tout aussi effrayants! Cependant, votre bébé a aussi des craintes qui n'appartiennent qu'à lui...

▣ Les grands classiques

⇨ La peur du noir

Peu d'enfants échappent à la peur du noir, qui dure parfois au-delà de cinq ans. Ainsi, à partir de sa deuxième année, votre bébé peut commencer à craindre l'obscurité au moment du coucher ou lorsqu'il se réveille au milieu de la nuit. Au cours de cette période clé de son développement (acquisition de la marche, du langage, de la propreté…), les tensions psychologiques sont nombreuses et provoquent des angoisses qui peuvent se traduire de cette façon.

• **Pourquoi a-t-il peur?** Dans le noir, votre bébé perd ses repères visuels. Or, voir ses objets familiers est rassurant pour lui. Dans la pénombre, il est également renvoyé à la perception de ses contours corporels, encore un peu flous, d'autant qu'il ne peut pas se voir. Se regarder l'aide aussi à se ressentir. Enfin, les bruits les plus habituels sont également amplifiés dans l'obscurité. C'est pourquoi elle peut provoquer chez lui une véritable panique, pas seulement dans son lit, mais aussi dans un parking sombre, lorsque la minuterie s'éteint, etc.

• **Ce qu'il faut faire.** Vous pouvez allumer, dans sa chambre, une petite veilleuse de faible intensité et la laisser toute la nuit. S'il se réveille, il retrouvera son univers familier et rassurant.
Pour l'aider à apprivoiser l'obscurité, vous pouvez également vous amuser dans le noir, avec une petite lampe de poche. Les jeux d'ombres chinoises où l'on crée, à l'aide de ses doigts, des loups, dragons et autres formes effrayantes sur les murs de leur chambre plaisent sou-

vent aux enfants : ils réalisent ainsi que les ombres les plus menaçantes sont bien inoffensives.

Une question à vous poser : votre enfant est-il vraiment effrayé, ou est-ce un «truc» pour vous retenir près de lui ? S'il a réellement peur, vous l'observez à certains signes physiques : transpiration, pâleur, battements rapides de son cœur... Dans ce cas, sa crainte est à respecter. En revanche, s'il utilise ce prétexte pour tester sa toute-puissance, montrez-lui que vous n'êtes pas dupes !

⇨ La peur de l'eau

Jusqu'alors, il se comportait dans l'eau comme un vrai petit poisson dans son aquarium. Le bain était une fête, l'occasion de papouilles et de jeux interminables... Et, accessoirement, le moyen de faire sa toilette. Or, tout à coup, il se met à hurler à la seule vue de l'eau !

Moins fréquente que la peur du noir, la crainte de l'eau fait également partie des «classiques» des tout-petits.

• **Pourquoi semble-t-il effrayé ?** Votre bébé a peut-être vécu une mauvaise expérience qui vous a échappé : l'eau d'un bain était trop froide, un peu trop chaude... L'événement n'était pas vraiment flagrant, mais il a pu suffire à le dégoûter.

Il peut également associer le bain au shampooing qui lui a piqué les yeux, la dernière fois que vous lui avez lavé la tête. Même si certains produits sont formulés pour éviter ce problème, leur mousse a un goût très désagréable! Il pleure peut-être, non parce qu'il n'aime pas l'eau, mais parce qu'il a froid lorsqu'on le déshabille. Les tout-petits, on l'a déjà souligné, n'aiment pas être complètement nus. Plus tard, surtout lorsque vous l'installez dans la grande baignoire, il peut avoir peur d'être englouti. Si vous avez l'habitude d'actionner la bonde d'écoulement, alors qu'il est encore dans la baignoire, il a pu voir des petits jouets entraînés vers le trou ou disparaître. Comme il n'a pas vraiment conscience de ses limites corporelles, il craint d'être aspiré, lui aussi.

• **Ce qu'il faut faire.** Veiller d'abord à son confort: en hiver, la salle de bains doit être bien chauffée. Dès la sortie du bain, vous pouvez le couvrir d'une serviette tiède. Inutile, également, de le savonner hors de l'eau, si ça lui gâche le plaisir!
Si vous avez identifié la raison de sa peur, réconfortez-le sur ce point précis. Vérifiez ensemble que l'eau est à la bonne température, rassurez-le sur sa possible crainte d'engloutissement et accompagnez vos gestes d'explications visant à le tranquilliser: «Toi, tu es un enfant,

tu n'es pas un Play Mobil tu ne risques pas de passer par le petit trou!», « Je te savonne le dos, et maintenant je vais te rincer les cheveux»…

Si son inquiètude est apparue au moment du passage dans la grande baignoire familiale, remettez-le dans son petit baquet de nourrisson ou dans une bassine posée dans la baignoire, dans laquelle il se sentira plus contenu. Ces précautions devraient le réconcilier progressive- ment avec le plaisir de la baignade. Surtout si vous pre- nez la peine de placer dans le bain des jouets miniatures en plastique, des petits couvercles et des flacons, grâce auxquels il réapprendra à barboter en toute sérénité.

Par ailleurs, il n'est pas exclu que vous ayez provoqué involontairement sa peur. Si vous le mettez sans arrêt en garde («Attention, tiens-toi bien au bord, tu vas tomber, glisser sous l'eau…»), il peut comprendre que le bain représente un réel danger. Il est important de ne pas lui transmettre votre stress de la noyade et le meilleur moyen de l'éviter est de rester près de lui!

Ne le laissez jamais, même un court instant, seul dans son bain : les accidents sont malheureusement encore fréquents et surviennent en quelques secondes, même dans une eau peu profonde.

Enfin, en cas de «crise aiguë», inutile de vous obstiner à lui faire prendre son bain. Donnez-lui une petite douche ou passez-lui un gant de toilette sur le corps, en attendant qu'il reprenne peu à peu confiance avec l'eau.

• **Et à la mer?** Cette grande étendue d'eau est impressionnante pour un enfant qui peut aussi la trouver trop froide ou trop agitée. Il ne faut surtout pas l'obliger à se baigner, même si vous êtes déçus qu'il ne profite pas, cette année, des joies de la plage. Le mieux est de le laisser apprivoiser la mer, ou la rivière, à son rythme. Vous pouvez jouer d'abord sur le rivage avec lui, en vous rapprochant peu à peu de l'eau, puis le baigner dans une cuvette aménagée dans le sable et le laisser barboter, avant de passer au vrai bain de mer, s'il est d'accord.

Les séances de «bébés nageurs» sont aussi une bonne solution pour permettre à votre bébé de découvrir le plaisir de l'eau en famille. Dans un bassin peu profond et une eau chauffée, il apprendra, d'abord dans vos bras, puis seul, à évoluer dans l'univers aquatique et à prendre confiance en lui (*voir les contacts utiles en fin d'ouvrage*).

⇨ Il ne supporte pas la moindre poussière

La crainte de la moindre miette ou de la plus petite poussière est bizarre... mais relativement fréquente.

C'est par exemple le cas de Juliette, treize mois, qui hurle dans son bain parce que des petites poussières, quasi imperceptibles à nos yeux, flottent à la surface de l'eau...

• **Pourquoi est-elle effrayée par ces poussières ?** Tout simplement parce qu'elles viennent bouleverser l'ordre établi. La miette représente une intrusion dans son monde, que votre tout-petit aime lisse et uni. De la même façon, certains enfants sont totalement réfractaires aux petits trous, boutons et autres pressions qui rompent l'harmonie d'un vêtement ! Cette frayeur est d'autant plus importante que votre bébé, avant deux ans, n'a pas encore posé les limites de son unité corporelle.

Par ailleurs, votre bébé peut également associer ces petits grains de poussière à un minuscule insecte qui l'effraie *(voir au chapitre 8 «Petites et grosses bêtes»)*.

• **Ce qu'il faut faire.** Respecter sa crainte en gardant votre calme (même si ses petites «manies» sont parfois bien énervantes!) et sans tout anticiper, faute de quoi vous risqueriez de le laisser jouer de sa toute-puissance. Le brin de persil rompt l'harmonie de sa purée? Encouragez-le à l'ôter lui-même ou à manger ce qu'il y a autour...

Dans la baignoire, il peut aussi s'amuser à ôter les petites poussières avec une passoire que vous lui confierez.

Inutile d'accorder une trop large attention à cette petite fixation, sinon les caprices ne sont pas loin !

⇥ Docteur ou kiné, «monstres» malgré eux

Même si votre bébé est en bonne santé, le médecin joue un grand rôle, durant les premières années de votre enfant. Quant au kiné, il peut avoir régulièrement affaire à lui, surtout s'il est sujet aux problèmes respiratoires.

Les enfants sont facilement effrayés par les blouses blanches. De nombreuses crèches ont d'ailleurs renoncé à faire intervenir des kinésithérapeutes dans leurs locaux, car leur simple vue effrayait tous les petits... Cependant, il n'est pas question d'éviter, à votre enfant les rendez-vous avec ces professionnels de santé, sous prétexte qu'il n'aime pas ça !

• **Pourquoi a-t-il peur?** Même avant deux ans, votre bébé a déjà une longue expérience des visites médicales. Cependant, l'enfant vit souvent les premiers vaccins et les gestes médicaux douloureux comme une intrusion, une agression gratuite face à laquelle il est impuissant. Il ne comprend pas que l'on puisse lui faire du mal pour lui faire du bien. C'est seulement à partir de sept-huit ans qu'il pourra admettre les bienfaits de la piqûre. Mais ce n'est pas pour autant qu'il ne la craindra plus...

Pour le moment, chaque rencontre avec le médecin peut donc raviver de mauvais souvenirs.

Votre bébé peut aussi se sentir «puni» si, dans son entourage, on a utilisé le docteur ou la piqûre comme une menace verbale.

De son côté, le médecin doit aussi s'efforcer de le rassurer. Il peut arriver que le praticien, préoccupé par le diagnostic, manque de patience avec les enfants. Si cela se répète, il vaut mieux en changer.

Et vous, quel est votre sentiment, par rapport au monde médical? Il n'est pas exclu que vous ayez vous-mêmes de mauvais souvenirs et que vous transmettiez, à votre bébé, votre inquiétude (de la maladie, de la douleur...). Votre enfant ne se sent pas en sécurité et il l'exprime avec vigueur!

• **Comment le préparer à la consultation?** De nombreux médecins proposent désormais une visite de présentation qui permet à l'enfant de se familiariser avec le lieu et le praticien, en dehors de tout contexte de maladie. Ce premier contact est également destiné à ne pas associer automatiquement docteur et douleur.

Si votre bébé pleure à la seule vue d'une blouse blanche, il est important de le rassurer, avant la visite, et de lui expliquer pourquoi il va chez le docteur, ou chez le kiné, et ce qu'il va faire : « Il va regarder ton corps, tes oreilles, écouter ton cœur avec un petit appareil qui ne fait pas mal… » Il peut ainsi être utile de montrer à votre enfant, à l'aide d'une poupée, ce que le médecin fait pendant l'examen et l'encourager à l'imiter.

En même temps que le carnet de santé et son doudou, glissez dans votre sac un ou deux objets qu'il aime particulièrement. Une fois dans le cabinet, ils lui permettront de se sentir dans un univers connu.

• **Au moment de l'examen médical.** C'est souvent la douleur qui entraîne la peur du médecin. N'hésitez pas à tout mettre en œuvre pour l'éviter, quand c'est possible. Lorsqu'il s'agit de vaccins, demandez à votre praticien (s'il ne vous le propose pas lui-même) de prescrire à votre bébé un patch anesthésiant, à poser une heure avant la piqûre. Une fois dans le cabinet, parlez à votre bébé en le valorisant, en le faisant participer autant que possible. Montrez-lui par exemple ce qu'il y a dans la pièce et à quoi ça sert.

Si le médecin doit effectuer un geste douloureux, il est essentiel, de sa part comme de la vôtre, de ne pas nier la peur de votre enfant en disant : « Tu ne vas pas avoir peur d'une petite piqûre, tu es grand ! » Bannissez également le message du type « Ça fait pas mal, c'est rien

du tout!», qui pourrait mettre en question la confiance qu'il a en vous. Vous pouvez en revanche lui dire: «Cela va être désagréable, mais après, ça sera fini, et on rentrera à la maison, tous les deux, bien tranquillement.»
L'important est d'adopter une attitude enveloppante pour rassurer votre enfant et lui permettre de dépasser ce moment désagréable. Sans oublier le bisou pour récompenser le courageux, une fois l'épreuve achevée!

Et si nous lui transmettions nos angoisses sans le vouloir?

⇨ Pourquoi certains enfants semblent-ils plus craintifs que d'autres?

Peut-être faut-il y voir une question de «tempérament». Cependant, l'attitude de l'entourage est également déterminante. Un enfant livré à lui-même, dans un univers insécurisant, a toutes les raisons de développer des peurs multiples. Mais, paradoxalement, un enfant très entouré aussi! Dans ce dernier cas, deux explications sont possibles.

• **Première possibilité.** L'entourage de l'enfant se conduit de manière hyperprotectrice, ce qui l'amène à considérer qu'hors de son petit monde très sécurisant les périls rôdent... Rappelons donc que s'il est légitime de vouloir protéger votre tout-petit du danger, une déferlante de «Attention!» et de «Si tu fais ça, tu risques de...», pour le préserver d'un risque éventuel, peut le paralyser et mettre des freins à son désir d'exploration. En agissant de la sorte, certes, vous le protégez..., mais plus de vos propres peurs que des siennes!

• **Seconde possibilité.** Son entourage lui transmet de manière inconsciente ses angoisses. C'est parfois le cas des parents, mais les grand-mères et les nounous qui ont la responsabilité de l'enfant sont souvent plus «mères poules» que la maman! Il est vrai qu'elles sont investies d'une mission délicate, car vous leur avez confié votre bien le plus cher: votre tout-petit. Pour elles, pas question de le ramener avec un bleu au genou ou de l'exposer au moindre courant d'air... Surtout si, avant de leur confier votre enfant, vous leur avez transmis une liste interminable de mises en garde et de recommandations!

⇨ **Se mettre en danger n'est pas une simple bêtise**
Il n'est évidemment pas possible de contrôler en permanence ses émotions, face à un tout-petit... Cepen-

dant, il peut être intéressant de garder à l'esprit que certaines attitudes destinées à l'avertir d'un danger précis sont plus adaptées que d'autres.

Prenons l'exemple de Christine, la maman de Valentin, onze mois. Horrifiée, elle voit son fils approcher ses doigts de la prise électrique. Son cri fait immédiatement reculer Valentin. Mais la maman, blême de peur à l'idée de ce qui aurait pu se passer, si elle n'était pas intervenue, continue à invectiver Valentin, qui la regarde avec stupéfaction, puis fond en larmes.

L'attitude de Christine est relativement adaptée, puisqu'elle a réagi très vite et protégé son fils, ce qui est le plus important ! Cependant, une fois le danger écarté et la colère retombée, il faudrait qu'elle explique calmement à Valentin la gravité de son geste et qu'elle lui fasse comprendre que ce n'était pas qu'une simple bêtise. Car faire des bêtises pour montrer son opposition à ses parents et se mettre en danger sont deux choses différentes !

Pour marquer la différence, il est donc important que vous réagissiez en expliquant à votre enfant, d'un ton grave et ferme, qu'il est très dangereux de faire ce qu'il a fait. Cette méthode est tout aussi efficace pour le mettre en garde contre un danger précis. Pourquoi insister sur l'importance de votre attitude ? Tout simplement parce qu'en agissant ainsi, vous éviterez que votre enfant se mette en péril dans le seul but de s'opposer à vous.

⇥ **Des peurs héréditaires**

Sébastien, dix-huit mois, est un petit garçon en retrait qui semble craindre les autres enfants, à la crèche, et développe de nombreuses petites peurs qui, cumulées, finissent par être invalidantes. Ses parents consultent la psychologue de la crèche. Sa maman, une femme très directive, est officier de police. Son père est un grand gaillard que l'on imagine peu susceptible de faiblesse. Pourtant, l'entretien révèle que, jusqu'à ses huit ans, le papa de Sébastien était, comme son fils, un peu craintif. Que faisait alors son propre père ? Il le battait, « pour lui apprendre la vie ». Le père de Sébastien ne bat pas son enfant, mais admet s'énerver facilement devant les craintes de son fils. Quant à la mère de Sébastien, elle reconnaît être « peu portée sur les câlins » et agacée par l'attitude du petit garçon. Difficile dans ces conditions, pour Sébastien, de se sentir sécurisé...

Le cas de Sébastien est loin d'être isolé. Il est souvent étonnant de constater combien les angoisses et les

craintes enfantines se transmettent de génération en génération. Rien n'empêche d'ailleurs d'imaginer que le grand-père de Sébastien, celui qui battait son fils, n'ait pas lui-même été un petit garçon aux multiples peurs...
À cet égard, il est souvent intéressant d'interroger les grand-parents. Se souviennent-ils de nos frayeurs ? Curieusement, elles sont souvent similaires à celles de notre tout-petit, alors que nous n'en avions gardé aucun souvenir...

Un enfant comme Sébastien sera rassuré qu'on lui dise : « Papa était comme toi, quand il était bébé. Il avait peur des autres enfants et de plein d'autres choses : des mouches, du noir, de l'eau, du bruit... Mais après, il s'est rendu compte qu'avoir des copains, c'est bien pour jouer et qu'ensemble on a moins peur. » En racontant sa propre histoire à son enfant, le cercle vicieux se rompt enfin et les choses s'arrangent souvent.

⇨ Les phobies des adultes

Même les tout-petits captent très vite les petites terreurs et grosses phobies des adultes ! Un enfant de moins de deux ans peut très bien ressentir l'anxiété de sa mère dans un ascenseur ou son dégoût à la vue d'une araignée. La perception de ces angoisses peut favoriser un terrain d'ancrage à certaines peurs.

• **Que faut-il faire ?** Si vous craignez de transmettre vos angoisses à votre tout-petit, c'est pour vous, parents, le moment de faire le point sur vos peurs et d'essayer d'en comprendre l'origine. Il est d'ailleurs étonnant de constater combien le fait de s'attacher à donner une image cohérente et rassurante, à ses enfants, peut permettre de dominer en partie ses propres frayeurs.

Lorsque vous êtes confrontés à une de vos peurs, vous pouvez aussi dire à votre enfant : « Il n'y a aucun danger. Cette araignée (ou ce téléphérique, cet avion...) ne fait pas de mal (ou n'est pas dangereux, ne risque pas de tomber...), simplement je suis comme ça, c'est un peu idiot mais je n'aime pas ça. Tu n'es pas obligé d'en avoir peur comme moi ! »

Malheureusement, les angoisses les plus profondes, qui se transmettent sans le vouloir, sont celles dont nous n'avons même pas conscience. Difficile alors de se contrôler ! Un climat anxieux familial peut par exemple entraîner certaines manifestations somatiques (asthme, eczéma...) chez l'enfant. Ou se traduire par des peurs ou de bizarres petites « fixations », qui trouvent leur origine au croisement du monde imaginaire de votre tout-petit et du terrain angoissé familial.

⇨ Mille et une petites «phobies» rien qu'à lui

Que faire lorsque ces petites frayeurs qui n'appartiennent qu'à lui se manifestent? Ne pas s'énerver face à ces bizarreries, même lorsqu'elles sont très agaçantes. C'est le cas, par exemple, lorsque l'enfant, à la plage, ne supporte ni le contact avec le moindre grain de sable ni le vent... Le mieux, lorsque la crise survient, est de détourner son attention. Si son comportement un peu «maniaque» persiste, la relaxation thérapeutique, pratiquée par un psychothérapeute, peut donner de bons résultats... aussi bien côté parent que côté enfant. Cependant, il est inutile de dramatiser. Les peurs parfois mystérieuses de votre tout-petit témoignent d'une chose: votre enfant a déjà sa propre personnalité, pas seulement calquée sur vos peurs et vos désirs de parents. Il commence à manifester une forme d'autonomie. Et c'est tant mieux!

L'essentiel

■ Certaines peurs de votre tout-petit sont spontanées, d'autres transmises par son entourage, mais toutes sont imaginaires.

Un climat anxieux familial sur lequel se superpose son monde imaginaire peut également se traduire par de petites «fixations» bizarres.

En aidant votre enfant à apprivoiser ses peurs «irrationnelles», celles-ci disparaîtront progressivement.

En grandissant, il pourra avoir d'autres peurs, mais pas pour les mêmes raisons: il aura acquis le sens du danger et aura appris, grâce à vous, à s'en préserver.

Conclusion

À une mère qui lui demandait un conseil sur la façon d'élever son enfant, Sigmund Freud aurait répondu : « Faites comme vous le voulez, madame. De toutes façons, vous ferez mal. » Pourquoi, dans ce cas, avoir consacré du temps et de l'énergie à écrire ce livre... et à le lire ?

D'abord, parce que rien n'empêche d'essayer de faire un petit peu moins mal... sans trop se culpabiliser lorsque nous commettons des erreurs malgré tout inévitables, comme le laissait entendre, dans sa réponse, le père fondateur de la psychanalyse.

Ensuite, parce que, si l'éducation idéale n'existe pas, il est heureusement possible d'être des parents « suffisamment bons », pour paraphraser la formule de D. W. Winnicott (« *the good enough mother* »), pédiatre et psychanalyste anglais, dont les travaux nous ont largement inspirées tout au long de cet ouvrage. Certes, les parents parfaits ne sont pas de ce monde... Pas plus, d'ailleurs, que les enfants modèles ! Cependant, apprendre à repérer certains mécanismes permet souvent de rectifier le tir pour repartir sur de nouvelles bases.

Enfin, parce que nous sommes intimement convaincues, à la suite de ces deux éminents spécialistes, et de bien d'autres, que tout ce qui s'élabore chez le tout-petit a des répercussions sur l'enfant, l'adolescent, puis l'adulte qu'il deviendra.

Avec votre bébé, tout repose sur un savant dosage entre protection et surprotection. La première attitude permettra à votre tout-petit, rassuré grâce à vous, d'avancer dans la vie, quitte à se lancer sans cesse de nouveaux défis et à se faire quelques petits bobos au genou ! La seconde attitude risquerait, en revanche, de brider ou d'inhiber votre enfant. En voulant constamment le protéger d'un éventuel danger, vous ne le rassurez pas. Vous le poussez, au contraire, à considérer que le monde extérieur est dangereux, puisque vous-mêmes semblez avoir en permanence peur de quelque chose. Ce comportement peut aussi constituer un frein à la différenciation nécessaire pour qu'il s'éloigne de vous sans craindre de vous voir disparaître.

Vous êtes « la » référence

Faut-il le rappeler ? Pour votre bébé, vous êtes « la » référence. Bien sûr, il ne vous sera pas toujours possible de diriger votre vie et la sienne comme vous le souhaiteriez. Cependant, l'image cohérente que vous lui transmettrez, tout au long de ces premières années, est fondamentale pour l'élaboration de son sentiment de sécurité de base, en l'absence duquel il pourrait éprouver des difficultés, voire un retard au niveau de ses premiers apprentissages. Certes, la résilience, autrement dit la capacité d'un individu à encaisser les coups et à aller de l'avant, existe. Certes, tout ne se joue pas avant six ans et encore moins avant six mois. Néanmoins, pourquoi, lorsqu'on en a la possibilité, ne pas partir sur des fondations solides?

Rassurer… les parents

Enfin, face au mystère de leur tout-petit, les parents aussi ont besoin d'être rassurés. Tout au long de ces premiers mois, vous trouverez peut-être votre enfant un brin exigeant, tyrannique, insatiable… et très épuisant. Vous pouvez cependant être convaincus que, lorsque vous dorlotez, cajolez et bercez votre bébé, vous ne vous faites pas seulement plaisir à tous les deux: vous lui transmettez les meilleurs atouts pour qu'il puisse conquérir, peu à peu, son autonomie et devienne un individu solide pour la vie.

Bibliographie

■ Pour les adultes

CYRULNIK B., *Les Nourritures affectives*, Odile Jacob, 1993.
—, *Sous le signe du lien*, Hachette, 1989.
DOLTO F., *Lorsque l'enfant paraît*, t. I, II, III, Seuil, 1977, 1978, 1979.
FRYDMAN R. et SZEJER M. (sous la direction de), *Le Bébé dans tous ses états*, Odile Jacob. 1998.
GIAMPINO S., *Les mères qui travaillent sont-elles coupables?*, Albin Michel, coll. «Questions de Parents», 2001.
GRAVILLON I., *Le Sommeil des bébés*, Milan Éditions, 1999.
RUFO PR M., *Frères et sœurs, une maladie d'amour*, Fayard, 2002.
STERN D., *Mère et enfant, les premières relations*, Pierre Mardaga, 1977.
SZEJER M., *Des mots pour naître, l'écoute psychanalytique en maternité*, Gallimard, 1997.
THIRION M. et CHALLAMEL M.-J., *Le Sommeil, le rêve et l'enfant*, Albin Michel, 2002.
WINNICOTT D. W., *L'Enfant et sa famille*, Payot, 1971.

Bibliographie

▨ Pour les tout-petits

ASHBÉ J., *À ce soir*, L'École des loisirs, coll. «Lutin Poche», 1995.

BERGMAN M. et POTTIE M., *Au lit, les petits!*, Bayard jeunesse, 2003.

CLÉMENT C. et OXENBURRY H., *Un clown à la garderie*, Bayard Poche, coll. «Léo et Popi», 1999.

DOLTO-TOLITCH DR C., *Quand les parents sortent; La crèche; Attendre un petit frère ou une petite sœur; Jaloux, pas jaloux; Les chagrins*, Gallimard Jeunesse, coll. «Mine de rien».

GUETTIER B., *Chez la sorcière*, Casterman, coll. «Petit Théâtre», 2001.

LEVY D. et TURRIER F., *Maman!*, Nathan, coll. «Ciboulette», 2001.

— et RAPAPORT G., *La Nuit du doudou*, L'École des loisirs, 2001.

MATTER P., *Trois histoires de Mini-Loup*, Hachette Jeunesse, 1998.

SCHNEIDER C. et PINEL H., *Trouvé*, Albin Michel, coll. «Zéphir», 1997.

Contacts utiles

▦ Des lieux d'accueil parents/enfants-petits

Il en existe une trentaine en France. Vous pouvez vous procurer la liste auprès de la Fondation de France au : 01 44 21 31 00.

▦ Vos questions sur l'allaitement et le sevrage

La Leche League : pour obtenir les coordonnées de l'animatrice de permanence dans votre région.
Tél. : 01 39 58 45 84. Site Internet : www.lllfrance.org

Solidarilait : Tél. : 01 40 44 70 70, qui vous communiquera des numéros en province.

▦ Il doit être hospitalisé, a peur du médecin...

L'association Sparadrap : parmi ses multiples activités au secours de la douleur, crée et diffuse des livrets très bien conçus (*J'aime pas les piqûres; Je vais me faire opérer... alors on va t'endormir; J'ai une maladie grave... on peut* *en parler!*) pour informer les enfants et leurs parents, mais aussi les professionnels de santé sur ce sujet.

Renseignements : 48, rue de la Plaine, 75020 Paris. Tél. : 01 43 48 11 80. Fax : 01 43 48 11 50.

Site Internet : www.sparadrap.org

▨ S'il a peur de l'eau

Fédération des activités aquatiques d'éveil et de loisir : 5, cité Griset, 75011 Paris. Tél. : 01 43 55 98 76.

Pour connaître les coordonnées des piscines pratiquant l'activité « bébés nageurs ». Site Internet : www.fael.asso.fr

▨ Pour les couples en difficulté

Lorsque les relations entre vous deviennent difficiles, certaines associations peuvent vous aider à y voir plus clair.

AFCCC (Association française des centres de consultation conjugale) : 228, rue de Vaugirard, 75015 Paris. Tél. : 01 45 66 50 00.

Association nationale des conseillers conjugaux et familiaux : 5, impasse du Bon-Secours, 75011 Paris. Tél. : 01 43 70 51 50.

Table

Conception graphique er réalisation : Louise Daniel
et impression Bussière Camedan Imprimeries
en décembre 2003.
N° d'édition : 22125. – N° d'impression : 035596/1.
Dépôt légal : janvier 2004.
Imprimé en France.